3일 완성
양식조리기능사
필기시험 총정리문제

최고의 적중률!!

양식조리사

1.시험 출제가 가장 많은 핵심이론 요약을 정리하여 수록!!

2.출제 경향이 높은 문제들로 구성된 예상문제 해설 수록!!

3.기출문제를 중심으로 한 엄선된 기출복원문제 10회 수록!!

대한민국 국가대표 브랜드
국가자격 시험문제 전문출판

에듀크라운
국가자격시험문제 전문출판

CROWN Publishing.co
최고의 적중률!! 최고의 합격률!!
크라운출판사
국가자격시험문제 전문출판
http://www.crownbook.co.kr

머리말

현대사회에서의 식생활이란 단순히 욕구나 포만감을 위해 먹는 것이 아닌 음식과 그 문화를 이해하고 안목과 지식을 기를 수 있는 문화적인 양식이라 할 수 있습니다. 특히 간편식에 익숙해져 있는 젊은 층에게 음식 고유의 맛과 기원을 알아가는 과정이 거창하고 어려운 일만은 아니라는 것을 알려주고 싶었습니다. 따라서 양식 조리의 표준화, 간소화, 일관성에 기초한 조리기술을 습득하는 것은 기본이라 하겠습니다. 본 수험서에서는 식품영양, 조리, 호텔 등 음식과 관련된 전문인이라면 반드시 알아야 할 내용을 요약, 체계적으로 정리하였습니다.

Part 1~5에서는 식품과 위생, 법규, 식품학 등 전반적인 기초이론을, Part6에서는 양식관련 이론과 심층문제를 출제하였으며 기존의 기출문제를 엄선하여 10회 모의고사를 정리하였습니다. 더욱 올해부터는 통합 과목에서 각 분야별로 시험 내용이 바뀌게 되면서 난이도와 과목별 중점 내용이 어떻게 출제되는가에 관심이 집중되었습니다.

세심한 주의와 애정을 갖고 집필하였으나 아쉬움과 부족한 부분은 지속적으로 보완하겠습니다.

본서를 출판하기까지 많은 도움을 주신 크라운 출판사 임직원분들과 이상원 회장님, 진심으로 감사드립니다.

박 순 드림

목 차 (Contents)

1

양식조리기능사 필기시험 총정리

핵심요약편

PART 1 위생관리

Chapter 1 개인위생관리

1. 위생관리와 필요성

(1) 위생관리란?

음식물 처리, 쓰레기와 폐기물 및 분뇨 처리, 공중이용시설 및 위생용품의 위생관리, 조리 및 식품관련시설, 도구, 장비와 기구 및 포장에 관련된 위생관련 전반의 관리를 말한다.

(2) 위생관리의 필요성

① 식중독 예방
② 안전한 먹거리로 상품 가치 상승
③ 청결한 업장 유지로 점포의 이미지 개선
④ 고객 만족과 대외적 브랜드 이미지 관리를 통한 매출 증진
⑤ 식품위생법 및 행정처분 강화

2. 개인위생관리

(1) 개인위생 점검사항

① 위생복, 위생모, 위생화, 앞치마는 항시 착용해야 하며 매일 갈아입어야 한다.
② 조리작업 전에는 손을 청결히 하고 손톱, 매니큐어 제거와 장신구(목걸이, 시계, 반지, 귀걸이)는 착용하지 않는다.
③ 상처에 의한 오염과 염증, 발열, 설사 복통 등도 주의해야 한다.
④ 위생복을 착용한 상태로 조리실 외의 장소에 나가는 경우 외부 오염의 가능성이 있으므로 지정된 출입구를 이용하도록 한다.
⑤ 그 외 금지해야 할 사항에는 외부인 출입금지, 세제나 소독약을 식재료 근처에 두지 않는 것 등이다.

(2) 작업자의 손 씻기를 통한 위생관리

① 작업 전 물로만 씻거나 물 묻은 손으로 작업하지 않는다.
② 손을 씻고 앞치마나 위생복에 물기를 닦지 않는다.
③ 음식을 조리하기 전이나 식품 취급 전에는 반드시 손을 닦는다.
④ 외출 후, 화장실 이용 후에는 손 닦는 습관을 들인다.
⑤ 귀, 입, 코, 머리 등 신체를 만지거나 휴대폰, 쓰레기 등을 만진 후에는 손을 씻고 작업을 한다.

(3) 상처 및 질병으로 일을 하지 못하는 경우

① 전염성이 있는 병원균 보균자
② 장염, 설사, 구토, 기침, 발열 등의 증상이 있는 경우
③ 손에 화농성이 있는 사람은 조리에서 제외시켜야 하며 칼 등에 의한 상처를 입었을 경우 치료 후 밴드, 핑거코트를 끼운 후 고무장갑을 착용한다.

Chapter 2 식품위생관리

1. 식품위생

(1) 식품위생이란?

식품, 첨가물, 기구, 용기와 포장을 대상으로 하는 음식에 관련된 위생을 말한다.

(2) 목 적

① 식품으로 인해 생기는 위생상의 위해 방지
② 식품영양의 질적 향상 도모
③ 식품에 관한 올바른 정보 제공
④ 국민보건 증진에 이바지

> ※ 세계보건기구(WHO)의 정의
> 식품위생이란 식품의 생육, 생산, 제조와 유통과정을 거쳐 최종 사람에게 섭취되기까지의 모든 과정에 대한 위생

2. 식품과 미생물

(1) 미생물의 종류와 특성

① 곰팡이(Mold) : 균사체를 발육기관으로 삼는 진균류로 항생물질과 발효식품에 이용된다.
② 효모(Yeast) : 곰팡이와 세균의 중간 크기로 비운동성이며 산소와 상관없이 증식한다.
③ 스피로헤타(Spirochaeta) : 운동성을 갖는 병원체로 매독균, 재귀열, 와일씨병
④ 세균(Bacteria) : 대부분이 병원성 미생물로 단세포이며 분열에 의해 증식한다.
⑤ 리케차(Rickettsia) : 살아있는 세포에서 증식, 발진티푸스·발진열의 병원체
⑥ 바이러스(Virus) : 미생물 중 크기가 가장 작다. 살아있는 세포에서 증식하며 천연두, 인플루엔자, 소아마비, 일본뇌염의 병원체

> ※ 미생물의 크기 : 곰팡이 〉 효모 〉 스피로헤타 〉 세균 〉 리케차 〉 바이러스

(2) 미생물 증식에 필요한 조건

영양소, 수분, 온도, pH, 산소

① 미생물 생육의 3대 요소 : 영양소, 수분, 온도
② 미생물 생육에 필요한 수분활성도(Aw) : 세균(0.94) 〉 효모(0.88) 〉 곰팡이(0.80)

(3) 미생물에 의한 식품의 변질

① 부패 : 단백질 식품이 미생물에 의해 분해되어 악취와 유해물질(암모니아, 아민, 트리메틸아민)이 생성
② 변패 : 탄수화물, 지방이 분해되어 변질되는 현상
③ 산패 : 유지류가 산화되어 색이 변하고 불쾌취가 나는 현상
④ 발효 : 탄수화물이 미생물의 분해작용으로 알코올과 유기산을 생성하는 현상
⑤ 후란 : 단백질 식품이 호기성세균에 의해 변질되는 현상

> ※ 식품의 부패과정에서 생기는 냄새 : 암모니아, 황화수소, 인돌, 피페리딘

(4) 위생지표 : 대장균

① 대표적 그람음성균으로 조건부 혐기성 세균
② 식수 또는 식품류의 오염지표로 이용
③ 병원성 대장균은 질병유발(O157:H7은 시가독 생성)

3. 식품과 기생충병

(1) 채소를 통한 감염증 : 중간 숙주가 없는 것

기생충명	감염형태	특징
회충	경구 감염	우리나라에서 감염률 가장 높음
요충	경구 감염, 집단 감염	항문 주위에 산란(항문소양증)
편충	경구 감염	자각 증상 없음
구충(십이지장충)	경구 감염, 경피 감염	급성위장 증상
동양모양선충	경구 감염	자각 증상 없음

(2) 어패류를 통한 감염증 : 중간 숙주가 2개

기생충명	제1중간 숙주	제2중간 숙주	종말 숙주
간흡충 (간디스토마)	쇠우렁이	민물고기 (붕어, 잉어, 모래무지)	사람, 개, 고양이
폐흡충 (폐디스토마)	다슬기	민물게, 가재	사람, 개, 고양이
고래회충 (아니사키스)	바다 갑각류 (크릴새우)	바다어류, 오징어	고래
요코카와흡충	다슬기	민물고기 (은어, 붕어, 잉어)	사람, 개, 고양이, 돼지
광절열두조충 (긴촌충)	물벼룩	민물고기 (연어, 송어, 숭어)	사람, 개, 고양이
유극악구충	물벼룩	가물치, 미꾸라지, 양서류, 파충류	개, 고양이, 야생동물

(3) 육류를 통한 감염증 : 중간 숙주가 1개

기생충명	중간 숙주
무구촌충(민촌충)	소
유구촌충(갈고리촌충)	돼지
선모충	돼지, 개
만손열두조충	뱀, 개구리, 닭
톡소플라스마	돼지, 개, 고양이

4. 감염병

손, 입, 호흡기, 피부, 음식, 식기 등을 통해 감염되는 전염병

(1) 감염병의 3대 원인

① 감염원(병원체, 병원소) : 질병의 원인으로 토양, 환자, 보균자
② 환경(감염 경로) : 질병의 전파과정
③ 숙주(사람) : 숙주의 면역력이 낮으면 질병이 발병하기 쉽다.

※ 감염경로 : 병원체가 병원소에서 탈출하여 감수성 숙주에 침입하기까지의
경로로 감염경로에는 직접감염과 간접감염이 있다.

(2) 감염병 생성 6단계

병원체(세균, 바이러스, 리케차, 기생충) → 병원소(보균자, 동물
병원소, 매개곤충) → 병원소로부터 병원체 탈출(호흡기, 장관, 비뇨
기관, 개방병소, 기계적) → 병원체 전파(직접, 간접, 공기전파) →
병원체 침입(호흡기, 소화기, 피부점막) → 숙주의 감수성(면역력
있으면 감염되지 않음)

5. 법정 감염병

(1) 제1급 감염병 : 생물테러 감염병 또는 치명률이 높거나 집단 발생의 우려가
큰, 음압격리와 같은 높은 수준의 격리가 필요한 감염병이다. 감염 속도가
빠르고 집단발생 가능성, 발생 즉시 방역대책을 수립한다.

에볼라바이러스, 마버그열, 라싸열, 크리미안콩고 출혈열, 남아메리카 출혈열,
리프트밸리열, 두창, 페스트, 탄저, 보툴리눔독소증, 야토병, 신종감염병증후군,
중증 급성호흡기 증후군(SARS), 중동 호흡기 증후군(MERS), 동물 인플루엔자
인체감염증, 신종 인플루엔자, 디프테리아 등

(2) 제2급 감염병 : 예방접종을 통해 예방관리가 가능하고 유행 시
24시간 이내 신고해야 하며 격리가 필요한 감염병이다.

결핵, 수두, 홍역, 콜레라, 장티푸스, 파라티푸스, 세균성 이질, 장출혈성대장균
감염증, A형 간염, 백일해, 유행성이하선염, 풍진, 폴리오, 수막구균감염증, b형
헤모필루스인플루엔자, 폐렴구균감염증, 한센병, 성홍열, 반코마이신내성황색
포도알균(VRSA) 감염증, 카바페넴내성장내세균속균종(CRE) 감염증 등

(3) 제3급 감염병 : 간헐적으로 유행할 가능성, 지속적으로 감시하고
방역대책 수립

파상풍, B형 간염, 일본뇌염, C형 간염, 말라리아, 레지오넬라증, 비브리오패혈증,
발진티푸스, 발진열, 쯔쯔가무시증, 렙토스피라증, 브루셀라증, 공수병, 신증후군
출혈열, 후천성면역결핍증(AIDS), 크로이츠펠트-야콥병(CJD) 및 변종크로이츠
펠트-야콥병(vCJD), 황열, 뎅기열, 큐열, 웨스트나일열, 라임병, 진드기매개뇌
염, 유비저, 치쿤구니야열, 중증열성혈소판감소증후군(SFTS), 지카바이러스감염
증, E형간염

(4) 제4급 감염병 : 제1급 감염병부터 제3급 감염병에 포함된 감염병
이외에 유행 여부를 조사하기 위해 표본 감시 활동이 필요한 감염병
이다. 신고 시기는 7일 이내다.

인플루엔자, 매독, 회충증, 편충증, 요충증, 간흡충증, 폐흡충증, 장흡충증, 수족
구병, 임질, 클라미디아감염증, 연성하감, 성기단순포진, 첨규콘딜롬, 반코마이신
내성장알균(VRE)감염증, 메티실린내성황색포도알균(MRSA)감염증, 다제내성녹농균
(MRPA)감염증, 다제내성아시네토박터바우마니균(MRAB)감염증, 장관감염증, 급성
호흡기감염증, 해외유입기생충감염증, 엔테로바이러스감염증, 사람유두종바이러스
감염증 등

(5) 질병관리청장 고시 감염병

질병관리청장이 필요에 따라 지정하는 감염병으로, 기생충 감염병,
세계보건기구 감시대상 감염병, 생물테러 감염병, 성매개 감염병,
인수 공통감염병, 의료관련 감염병 등이 있다.

6. 감염병의 분류

(1) 바이러스(Virus) : 전자현미경으로 관찰, 가장 작은 크기로 세균
여과기 통과

① 호흡기계 침입 : 인플루엔자, 홍역, 유행성 이하선염
② 소화기계 침입 : 유행성간염, 폴리오(소아마비)
③ 피부점막 침입 : 일본뇌염, 공수병, AIDS

(2) 세균(Bacteria) : 병원성 박테리아는 적절한 온도와 습도의 환경
조건에서 급속하게 증식

① 호흡기계 침입 : 디프테리아, 백일해, 결핵, 성홍열, 폐렴
② 소화기계 침입 : 콜레라, 장티푸스, 파라티푸스, 세균성 이질
③ 피부점막 침입 : 파상풍, 페스트

(3) 리케차(Rickettsia) : 생세포에 존재, 발진티푸스, 발진열, 양충병

7. 인수 공통 감염병

사람과 척추동물 사이에서 동일한 병원체에 의해 발생하는 질병

(1) 인수 공통 감염병의 분류

① 세균 : 탄저, 브루셀라, 결핵, 돈단독
② 바이러스 : 광견병, 일본뇌염, AIDS

(2) 인수 공통 감염병과 이환가축

질 병	가 축
결핵	소
탄저	소, 양, 말
야토	산토끼, 쥐, 다람쥐
브루셀라	소, 돼지, 양, 말
돈단독	돼지가 대표
큐열	쥐, 소, 양
구제역	돼지, 소, 양, 염소
광우병	소
조류인플루엔자	닭, 칠면조, 야생조류

8. 면역과 질병대책

(1) 선천적 면역과 후천적 면역

종 류		특 징
선천적 면역		자연적으로 형성된 면역으로 개인 면역, 종속 면역, 인종 면역
후천적 면역	능동 면역	– 자연 능동 면역 : 질병감염 후 얻은 면역 – 인공 능동 면역 : 예방접종을 통해 얻은 면역
	수동 면역	– 자연 수동 면역 : 태반, 모유 등을 통해 모체로부터 항체를 받음 – 인공 수동 면역 : 면역 혈청을 접종하여 면역력 생김

(2) 예방접종(인공능동면역)

구 분	연 령	예방접종 종류
기본 접종	4주 이내	BCG(결핵)
	2, 4, 6개월	경구용 소아마비, 디프테리아, 백일해, 파상풍
	15개월	홍역, 볼거리, 풍진
	3~15세	일본뇌염
추가 접종	18개월, 4~6세, 11~13세	경구용 소아마비, 디프테리아
	매년	일본뇌염

※ B.C.G : 생후 첫 예방접종
　 D.P.T : 디프테리아, 백일해, 파상풍

9. 살균 및 소독

(1) 살균·소독의 정의

① 멸균 : 미생물(세균, 곰팡이), 아포 등을 사멸시켜 무균의 상태로 만드는 것
② 살균 : 박테리아, 바이러스 등 여러 가지 미생물들을 사멸하거나 불활성화시키는 것
③ 소독 : 병원성 미생물을 죽이거나 활성을 억제하여 감염을 약화시키는 것
④ 방부 : 미생물의 번식을 억제하고 식품의 부패나 발효를 막는 것

(2) 물리적 살균·소독법

① 비열 처리법
　㉠ 일광법(자외선 조사) : 실내 소독은 2500~2800Å(옹스트롬), 표면 살균
　㉡ 방사선 조사법 : 60Co, 137Cs 등에서 발생하는 방사선을 이용하여 살균
　㉢ 여과법 : 음료, 의약품 등을 세균 여과기로 걸러내는 방법, 바이러스는 제거되지 않는다.
② 가열 처리법
　㉠ 자비 소독법(열탕 소독) : 끓는 물(100℃)에 30분간 가열, 식기류, 행주
　㉡ 저온 살균법(LTLT) : 고온 처리가 어려운 유제품에 대해 61~65℃로 30분간 가열
　㉢ 고온 단시간 살균법(HTST) : 70~75℃에서 15~20초간 가열
　㉣ 초고온 순간 살균법(UHT) : 130~140℃에서 2초간 살균

(3) 화학적 살균·소독법

① 염소·차아염소산나트륨 : 과일, 채소, 수돗물(0.2ppm), 식기 소독
② 표백분(클로르칼키) : 우물물, 수영장, 채소, 식기 소독
③ 석탄산(3%) : 변소, 하수도, 오물 소독
　㉠ 석탄산 계수는 소독약의 살균력을 나타내는 기준
　㉡ 살균력이 안전하고 유기물에도 소독력이 약화되지 않음
　㉢ 냄새, 독성이 강하여 피부에 강한 자극이 있으며 금속 부식성이 있다.
④ 역성 비누(양성 비누) : 과일, 채소(0.01~0.1%), 식기, 손 소독 (10%)
⑤ 크레졸비누액(3%) : 변소, 하수도 등의 오물 소독에 이용되며 소독력은 석탄산보다 2배 강하다.
⑥ 포름알데히드(기체) : 병원, 도서관 등의 소독
⑦ 생석회 : 습기가 있는 변소, 하수도, 진개 등의 오물 소독에 우선 이용

10. 식품첨가물과 유해물질

(1) 식품첨가물의 사용 목적

① 식품의 부패와 변질을 방지하여 보존력을 향상시킨다.
② 식품의 영양을 강화한다.
③ 식품의 기호 및 관능 만족을 위하여 사용한다.
④ 식품의 품질 유지와 개량을 위하여 사용한다.

(2) 식품첨가물의 기본요건

① 건강에 해를 끼치지 않아야 할 것
② 식품에 나쁜 영향을 주지 않을 것
③ 소량만으로 효과가 충분할 것
④ 식품의 외관을 좋게 하여 상품가치를 향상시킬 것

(3) 식품첨가물의 종류

① 변질 및 부패를 방지하는 식품첨가물
　㉠ 보존료(방부제) : 미생물 증식을 억제하여 식품의 변질, 부패를 방지
　　– 데히드로초산 : 버터, 마가린, 치즈 외 사용 금지
　　– 소르빈산 : 육류제품, 절임류, 잼, 케찹
　　– 안식향산, 안식향산 나트륨 : 청량음료, 간장, 식초
　　– 프로피온산 : 빵

ⓛ 살균제(소독) : 식품의 부패 원인균을 단시간에 사멸
  - 차아염소산나트륨 : 과일과 채소 살균 목적
  - 표백분
  - 에틸렌옥사이드
ⓒ 산화 방지제(항산화제) : 식품의 지질이 산화에 의해 변질되는
  것을 방지
  - 비타민 C(아스코르브산), 비타민 E(토코페롤), BHA(부틸
    히드록시아니솔), BHT(디부틸히드록시톨루엔), 에르소르
    빈산, L-아스코르브산나트륨, 고시폴
② 기호 향상을 위한 식품첨가물
  ㉠ 조미료(식품첨가물, 감칠맛을 나게 하는 것으로 가장 많이
    사용)
    - 구연산나트륨, 이노신산염, 글루타민산나트륨(MSG), 글리신,
      주석산나트륨, 호박산나트륨
  ㉡ 산미료 : 식품에 신맛(산미) 부여, 청량감으로 식욕 증진
    - 주석산, 구연산, 젖산, 초산, 사과산
  ㉢ 감미료 : 식품에 단맛(감미) 부여, 천연 감미료와 인공 감미료로
    구분
    - 사카린나트륨, D-소르비톨, 글리실리진산나트륨, 아스파탐,
      자일리톨, 스테비오사이드
  ㉣ 발색제 : 발색제는 색이 없지만 식품 중 색소 성분과 반응
    하여 색을 안정시키고 선명하게 한다.
    - 아질산나트륨, 질산칼륨, 질산나트륨 : 육류제품, 어육소시지,
      햄, 명란젓
    - 황산제1철, 황산제2철, 소명반 : 채소, 과일의 변색 방지
  ㉤ 표백제 : 식품 제조 중 갈변, 착색 변화 억제, 흰색을 더 희게
    만들 때
    - 과산화수소, 차아염소산나트륨, 아황산염
  ㉥ 착향료 : 식품 본래의 냄새를 제거하거나 강화시킬 때, 향을
    부여할 때 사용
    - 천연 착향료 : 지방산, 레몬유, 에스테르류
    - 계피알데히드, 멘톨, 바닐린
③ 품질 유지·개량을 위한 식품첨가물
  ㉠ 호료(증점제, 안정제) : 점착성, 형체 보존, 유화 안정성 향상
    - 젤라틴, 한천, 알긴산프로필렌글리콜, 카세인나트륨
  ㉡ 피막제 : 채소, 과실류의 표면에 피막 형성, 수분 증발 방지,
    호흡작용 제한으로 신선도 유지
    - 몰포린지방산염, 초산비닐수지
  ㉢ 이형제 : 제빵 시 형태를 유지하며 쉽게 분리되도록 한다.
    - 유동파라핀
④ 식품 제조 및 가공을 위한 식품첨가물
  ㉠ 팽창제 : 빵, 과자 제조 시 부풀게 하여 연하고 맛을 좋게
    한다.
    - 효모, 명반(황산알루미늄칼륨), 탄산수소나트륨, 탄산암모늄
  ㉡ 소포제 : 거품 생성을 억제시키기 위해 사용
    - 규소수지
  ㉢ 껌 기초제 : 껌의 탄성력과 점성 부여
    - 초산비닐수지, 에스테르껌

※ 사용 허가가 필요한 발색제 : 아질산나트륨, 질산나트륨, 질산칼륨

Chapter 3 주방위생관리

1. 주방위생관리의 중요성

(1) 주방 내 주요 교차 오염의 원인 파악

① 주방바닥, 나무재질 도마, 생선과 육류, 채소, 과일 코너의 교차
  오염 발생
② 특히 바닥, 행주, 생선취급 코너의 집중적인 위생관리 필요
③ 원재료 상태의 식품 취급 시 준비과정에서 교차 오염이 발생할
  가능성

(2) 시설물의 용도에 따라 위생관리 필요

① 냉장, 냉동 시설 : 저온의 저장 시설은 세균증식이 쉽지는 않지만
  식재료와 음식물 출입이 많기 때문에 교차 오염이 발생할 수
  있다.
② 상온 저장고 : 적재용 선반, 팔레트, 환풍기, 방충망 등
③ 매장 : 음식이 식탁에 서빙되기 전, 깨끗하게 닦고 알콜 소독
  후 제공하도록 한다.
④ 화장실 : 바닥타일, 벽, 천정, 환기팬, 조명 기구, 변기는 항상
  청결히 관리한다.
⑤ 청소도구 : 사용 후 깨끗이 세척하고 지정된 장소에 보이지 않도록
  보관한다.

2. 식품안전관리인증기준(HACCP)

(1) HACCP 제도의 목적

① 식품의 안전성 확보
② 식품업체의 자율적, 과학적 위생관리 정착을 모색한다.
③ 국제기준 및 규격과의 조화를 도모한다.

(2) HACCP 적용 준비단계(5절차)

① HACCP 팀 구성
② 제품설명서 작성
③ 해당 식품의 의도된 사용방법과 소비 대상을 파악한다.
④ 공정단계를 이해하고 공정 흐름도를 작성한다.
⑤ 작성된 공정 흐름도가 현장과 일치하는지 검증한다.

(3) HACCP 관리의 기본단계인 7원칙에 따라 관리체계를 구축
  한다.

① 원칙 1 : 위해요소 분석
② 원칙 2 : 잠재적 위해 요소를 제거하기 위한 중점 관리요소 결정
③ 원칙 3 : 중점 관리요소에 대한 한계기준 설정
④ 원칙 4 : 중점 관리요소를 지속적으로 관찰하기 위한 모니터링
  방법을 설정
⑤ 원칙 5 : 식품의 위해요소가 발생하지 않도록 개선조치 방법을
  수립
⑥ 원칙 6 : HACCP 시스템이 안전하게 운영되는지에 대한 검증절차와
  방법을 설정
⑦ 원칙 7 : 기록 유지 및 문서관리

Chapter 4 식중독 관리

1. 세균성 식중독

(1) 살모넬라 식중독

① 원인식품 : 난류, 어패류와 가공품, 육류와 가공품, 유제품, 채소 샐러드
② 잠복기 : 12~36시간(평균 18시간)
③ 예방대책 : 해충이나 조류에 의한 식품 오염 방지, 가열 조리 섭취 (60℃ 30분), 냉장 보관

(2) 장염비브리오 식중독

① 원인식품 : 어패류 생식(6월~10월 집중 발생)
② 잠복기 : 10~18시간
③ 예방대책 : 여름철 어패류 생식 금지, 가열 조리 섭취(60℃ 5분), 조리도구 소독

(3) 병원성대장균 식중독

① 원인식품 : 우유, 햄, 치즈, 수제마요네즈
② 잠복기 : 평균 13시간
③ 예방대책 : 분변 오염에 대한 위생상태 관리

(4) 클로스트리디움 퍼프리젠스 식중독(웰치균)

① 원인식품 : 육류·어패류, 가공품, 수육, 족발 등의 재가열 식품
② 잠복기 : 8~22시간(평균 12시간)
③ 예방대책 : 조리된 식품은 10℃ 이하 또는 60℃ 이상에서 보관

2. 독소형 식중독

(1) 황색포도상구균 식중독

① 원인독소 : 엔테로톡신(Enterotoxin)
② 잠복기 : 1~6시간(평균 3시간)으로 잠복기가 가장 짧음
③ 원인식품 : 화농성 질환자에 의해 오염된 식품, 유가공품, 김밥, 떡, 빵
④ 예방대책 : 화농성 질환자의 식품 조리 금지

(2) 클로스트리디움 보툴리눔 식중독

① 원인독소 : 뉴로톡신(Neurotoxin)
② 잠복기 : 12~36시간으로 잠복기가 가장 길다.
③ 원인식품 : 살균이 덜 된 통조림, 햄, 소지지 가공품
④ 예방대책 : 음식물 가열 처리(80℃ 30분), 통조림의 살균 등 위생적 가공

3. 자연독 식중독

(1) 식물성 식중독

① 감자 : 솔라닌(발아한 곳, 녹색 부분), 셉신(썩은 감자에서 생성)
② 독버섯 : 무스카린, 아마톡신, 아마니타톡신, 팔린
③ 청매실, 살구씨 : 아미그달린
④ 독미나리 : 시큐톡신
⑤ 피마자 : 리신

⑥ 목화씨 : 고시폴
⑦ 독보리 : 테물린
⑧ 미치광이풀 : 히오시아민과 스코폴라민

(2) 동물성 식중독

① 복어 : 테트로도톡신
② 모시조개, 굴, 바지락 : 베네루핀
③ 대합, 섭조개(홍합) : 삭시톡신

4. 곰팡이 식중독

(1) 아플라톡신(간장독)

① 원인식품 : 된장, 곶감, 땅콩, 곡류
② 증상 : 간경변, 간암 유발

(2) 스트리닌(신장독), 시트레오비리딘(신경독)

① 원인식품 : 황변미
② 증상 : 신장 장애, 뇌와 중추신경 장애

(3) 에르고톡신(간장독)

① 원인식품 : 보리, 호밀, 밀
② 증상 : 구토, 복통, 설사, 임산부의 경우 유산 또는 조산의 위험

5. 알러지성 식중독

① 원인균 : 프로테우스 모르가니
② 원인 독소 : 히스타민
③ 원인식품 : 고등어, 꽁치, 정어리, 건어물 및 가공품
④ 잠복기 : 30~60분
⑤ 증상 : 두드러기, 발열, 복통
⑥ 예방대책 : 항히스타민제 투여, 개인관리(부패 식품 아닌 것도 증상 유발)

6. 중금속 중독

(1) 수은(Hg)

① 원인 : 오염수, 유기수은, 해산물
② 증상 : 구토, 경련, 미나마타병

(2) 카드뮴(Cd)

① 원인 : 식기, 기구
② 증상 : 골연화증, 이타이 이타이병

(3) 아연(Zn)

① 원인 : 음료수캔
② 증상 : 위장 장애, 두통, 구토

(4) 구리(Cu)

① 원인 : 첨가물, 용기
② 증상 : 구토, 메스꺼움

(5) 비소(As)

   ① 원인 : 농약, 살충제

   ② 증상 : 구토, 설사, 심정지

(6) 납(Pb)

   ① 원인 : 각종 오염, 용기, 토양

   ② 증상 : 소화 장애, 현기증, 체중 감소(만성 중독)

(7) 주석(Sn)

   ① 원인 : 통조림

   ② 증상 : 급성위장염

Chapter 5 | 식품위생 관계법규

1. 식품위생법의 목적

식품에 의한 위해를 방지하고 식품영양의 질적 향상을 도모하며 올바른 정보를 제공하여 국민보건의 증진에 이바지한다.

2. 식품위생법 관련 용어 정의

① 식품 : 모든 음식물(의약으로 섭취하는 것 제외)

② 식품첨가물 : 식품을 제조·가공 또는 보존을 함에 있어 식품에 첨가·혼합·침윤, 기타의 방법(기구·용기·포장을 살균, 소독하면서 간접적으로 식품에 옮아갈 수 있는 물질 포함)으로 사용되는 물질

③ 표시 : 식품, 식품첨가물, 기구, 포장용기에 적는 문자, 숫자, 도형

④ 영양표시 : 식품에 들어있는 영양소 등에 관한 정보 표시

⑤ 영업 : 식품, 식품첨가물을 채취·제조·수입·가공·조리·저장·소분·운반·판매하거나 기구·용기 포장을 제조·수입·운반·판매하는 업(농업과 수산업의 식품채취는 제외)

⑥ 영업자 : 영업 허가를 받은 자, 영업 신고를 한 자, 영업 등록을 한 자

⑦ 식품위생 : 식품, 식품첨가물, 기구, 포장용기를 대상으로 하는 음식에 관한 위생

⑧ 식중독 : 식품 섭취로 인하여 인체에 유해한 미생물 또는 유독물질에 의하여 발생하였거나 발생한 것으로 판단되는 감염성 질환 또는 독소형 질환

3. 위해식품 등의 판매금지(법 제4조)

① 썩거나 상하거나 설익어서 인체의 건강을 해칠 우려가 있는 것

② 유독·유해물질이 들어 있거나 묻어 있는 것 또는 그러할 염려가 있는 것. 다만, 식품의약품안전처장이 인체의 건강을 해칠 우려가 없다고 인정하는 것은 제외한다.

③ 병을 일으키는 미생물에 오염되었거나 그러할 염려가 있어 인체의 건강을 해칠 우려가 있는 것

④ 불결하거나 다른 물질이 섞이거나 첨가된 것 또는 그 밖의 사유로 인체의 건강을 해칠 우려가 있는 것

⑤ 제18조에 따른 안전성 심사 대상인 농·축·수산물 등 가운데 안전성 심사를 받지 아니하였거나 안전성 심사에서 식용으로 부적합하다고 인정된 것

⑥ 수입이 금지된 것 또는 「수입식품안전관리 특별법」 제20조 제1항에 따른 수입신고를 하지 아니하고 수입한 것

⑦ 영업자가 아닌 자가 제조·가공·소분한 것

4. 검사

(1) 검사 및 수거(시행규칙 제19조)

① 관계 공무원은 무상으로 수거할 수 있는 식품에 대해서는 수거증을 발급해야 하며 그 식품 등을 수거 장소에서 봉합하고 관계 공무원과 피수거자의 인장으로 봉인하도록 한다.

② 식품의약품안전처장, 시·도지사, 시장·군수·구청장은 수거한 식품 등에 대해서는 지체없이 식품의약품안전처장이 지정한 식품전문 시험·검사기관 또는 총리령으로 정하는 시험·검사기관에 검사를 의뢰하여야 한다.

③ 식품의약품안전처장, 시·도지사, 시장·군수·구청장은 관계 공무원으로 하여금 출입·검사·수거를 하게 한 경우에는 수거검사 처리대장에 그 내용을 기록하고 이를 갖춰 두어야 한다.

(2) 식품위생 검사기관

① 식품의약품안전평가원
② 지방식품의약품안전청
③ 시·도 보건환경연구원

(3) 업종별 식품위생교육 시간(법 제 41조)

구 분	교육시간
식품 제조·가공업, 즉석판매제조·가공업, 식품첨가물제조업	8시간
식품운반업, 식품소분·판매업, 식품보존업, 용기·포장류제조업	4시간
식품접객업	6시간
단체급식소를 설치·운영하려는 자	6시간

(4) 위생등급에 따른 우수업소·모범업소의 지정

① 우수업소의 지정 : 식품의약품안전처장 또는 특별자치도지사, 시장·군수·구청장
② 모범업소의 지정 : 특별자치도지사, 시장·군수·구청장
③ 우수업소와 모범업소 구분
　㉠ 식품 제조·가공업 및 식품첨가물제조업 – 우수업소 / 일반업소
　㉡ 집단급식소 및 일반 음식점 – 모범업소 / 일반업소

5. 벌 칙

(1) 조리사의 면허의 결격사유(법 제80조)

① 정신질환자
② 감염병 환자(B형 간염 환자는 제외)
③ 마약 또는 약물 중독자
④ 조리사 면허 취소처분을 받고 취소된 날로부터 1년이 지나지 아니한 자

(2) 행정처분기준

위반사항	1차 위반	2차 위반	3차 위반
조리사·영양사가 보수교육을 받지 아니한 경우	시정명령	업무정지 15일	업무정지 1개월
식중독, 위생과 관련 중대한 사고 발생에 직무상 책임이 있는 경우	업무정지 1개월	업무정지 2개월	면허취소
면허를 타인에게 대여 사용하게 한 경우	업무정지 2개월	업무정지 3개월	면허취소
업무정지 기간 중 조리사의 업무를 하는 경우	면허취소		

(3) 질병에 걸린 동물을 판매할 목적으로 식품 또는 식품첨가물을 제조·가공·수입·조리한 자는 3년 이상의 징역에 처한다.(법 제93조)

① 소해면상뇌증(광우병)
② 탄저병
③ 가금 인플루엔자

(4) 다음의 원료나 성분을 사용하여 판매할 목적으로 식품 또는 식품첨가물을 제조·가공·수입·조리한 자는 1년 이상의 징역에 처한다. (법 제93조)

① 마황
② 부자
③ 천오
④ 초오
⑤ 섬수
⑥ 백선피
⑦ 사리풀

Chapter 6 | 공중보건

1. 공중보건의 정의

① 질병을 예방하고 건강을 유지, 증진시킴으로써 육체적·정신적 능력을 발휘할 수 있게 하기 위한 과학적 지식을 사회의 조직적 노력으로 사람들에게 적용하는 기술이다.

② 윈슬로우(C.E.A Winslow)의 정의 : 지역사회의 조직적인 공동 노력을 통해 질병 예방, 생명 연장, 신체적·정신적 효율을 증진시키는 기술이요 과학이다.

2. 공중보건의 대상 및 범위

(1) 대상 : 개인이 아닌 지역사회의 인간집단, 최소단위는 지역사회

(2) 범위 : 감염병예방학, 환경위생학, 식품위생학, 산업보건학, 모자보건학, 정신보건학, 학교보건학, 보건통계학

(3) 공중보건의 3대 정의 : 질병 예방, 생명 연장, 건강 증진

(4) 공중보건 평가 지표 : 한 지역이나 국가의 보건 수준을 나타내는 보건 지표

① 영아 사망률(가장 많이 사용하는 지표) = 연간 영아 사망 수÷연간 출생아 수×1,000

② 조사망률(보통사망률) = 연간 사망자 수÷그해 인구 수×1,000

③ 모성 사망률 = 연간 모성 사망 수÷연간 출생아 수×1,000

④ 비례사망지수

㉠ 연간 전체 사망자 수에 대한 50세 이상의 사망자 수의 구성비

㉡ 지수가 낮으면 건강 수준이 낮음을 의미함

㉢ 비례사망지수 = 50세 이상의 사망자 수÷연간 총 사망자 수 ×1,000

⑤ 평균 수명(기대수명) : 인간의 생존 기대기간

3. 환경위생 및 환경오염

(1) 일광

① 자외선

㉠ 태양광선 중 파장이 가장 짧다.

㉡ 2,500~2,800Å에서 살균작용이 강해 소독에 이용된다.

㉢ 비타민 D의 형성으로 구루병 예방, 관절염 치료에 효과가 있다.

㉣ 신진대사를 촉진시키고 적혈구를 생성한다.

㉤ 과다 노출 시 피부색소 침착과 피부암을 유발할 수 있다.

② 가시광선(4,000~7,700Å) : 망막을 자극하여 색채와 명암을 구분할 수 있게 한다.

③ 적외선(7,800Å 이상)

㉠ 태양광선 중 파장이 가장 길다.

㉡ 적외선의 복사열은 기온에 영향을 준다.

㉢ 과다 노출 시 일사병과 백내장을 유발한다.

(2) 온열 환경

① 감각 온도의 3요소 : 기온, 기습, 기류 + 복사열(4요소)

② 기온 역전 현상 : 대기가 안정화되어 수직확산이 일어나지 않게 되는 현상으로 대기오염으로 상부기온이 하부기온보다 높을 때를 말함

(3) 공기 및 대기오염

① 질소(N) : 공기 중 78%, 고압 환경 - 잠수병, 저압 환경 - 고산병

② 산소(O_2) : 공기 중 28%, 10% 이하일 때 호흡 곤란, 7% 이하면 질식사

③ 이산화탄소(CO_2) : 실내공기 오염의 측정 지표. 위생학적 허용한계는 0.1%(1,000ppm), 7% 이상이면 호흡 곤란, 10% 이상이면 질식사

④ 일산화탄소(CO) : 무색, 무미, 무취, 무자극성 기체로 연탄불완전연소, 매연가스 등에서 발생. 혈중 헤모글로빈과의 친화력이 산소보다 250~300배 강하여 산소결핍증 유발

⑤ 아황산가스(SO_2) : 대기오염(실외)의 지표로 경유의 연소과정에서 발생하고 자극적인 냄새가 난다. 호흡 곤란, 식물의 고사 현상, 금속을 부식시킨다.

⑥ 군집독 : 많은 사람들이 밀집한 실내에서 공기가 물리적·화학적 조성의 변화를 일으켜 불쾌감, 두통, 현기증, 권태감 등의 증상을 일으키는 것

(4) 물의 위생, 환경과 질병

① 물의 소독

㉠ 물리적 소독 : 열 처리법(100℃ 이상), 오존(O_3), 자외선

㉡ 화학적 소독 : 수도 - 염소, 우물 - 표백분

② 물의 자정작용 : 희석, 침전, 일광소독, 산화

③ 수인성 감염병

㉠ 분변 오염수, 소독하지 않은 물에 의해 감염

㉡ 환자 발생이 순식간에 증가, 감소한다.

㉢ 감염지역과 음용수 사용지역이 일치

㉣ 2차 감염이 거의 없고 잠복기가 짧으며 치명적이지 않다.

㉤ 계절, 성별, 나이, 직업에 따른 발생 빈도차가 없다.

㉥ 장티푸스, 파라티푸스, 콜레라, 세균성 이질, 아메바성 이질, 전염성 설사, 유행성 간염의 원인이 된다.

> ※ 대장균을 수질 오염의 지표로 사용하는 이유
> - 검출방법이 정확하고 간편하다.
> - 분포도가 오염원(분변)과 공존한다.
> - 병원성 미생물을 추측할 수 있다.

4. 산업보건

(1) 산업 재해 : 작업활동 시 발생하는 사고로 인적·물적 손해를 말한다. 환경적 요인, 기계적 요인, 인적 요인이 있다.

원 인	직 업 병
고열 환경	열중증(열쇠약증, 열경련, 열사병)
저온 환경	동상, 동창, 참호족염
고압 환경	잠수병(잠수부, 해녀에 발생)
저압 환경	고산병, 항공병
분 진	진폐증, 규폐증(규산), 석면폐증, 활석폐증
소 음	난청, 두통
진 동	레이노드병
조명 불량	근시, 안구진탕증, 백내장
방사선	조혈기능 장애, 백혈병, 생식기 장애, 피부점막 궤양, 발암
자외선, 적외선	피부암, 시력 장애
금속 중독	- 납 : 빈혈, 칼슘대사 이상, 신장 장애, 적혈구 수 증가 - 수은 : 미나마타병, 언어 장애, 지각 이상, 기억력 감퇴, 보행 곤란 - 크롬 : 비염, 인두염, 기관지염, 비중격천공 - 카드뮴 : 이타이이타이병, 신장 장애, 골연화, 단백뇨

5. 보건행정

(1) 보건행정 분류

① 일반보건행정 : 보건복지부
② 근로보건행정 : 고용노동부
③ 학교보건행정 : 교육부

(2) 보건 영양

① 목적 : 지역사회 주민의 건강을 위해 식생활의 문제를 해결, 개선하여 영양부족이 일어나지 않게 하는 것
② 영양관리의 중요성 : 국민의 체력 증진, 건강 유지, 질병 감소

(3) 모자보건

① 목적 : 우리나라 모자보건법은 "모성 및 영유아의 생명과 건강을 보호하고 건전한 자녀의 출산과 양육을 도모함으로써 국민보건 향상에 이바지함을 목적으로 한다." 라고 규정되어 있다.
② 대상 : 임신과 분만, 수유하는 여성

(4) 성인 및 노인보건

① 성인병 예방대책 : 식생활 개선, 규칙적인 운동, 충분한 휴식, 음주·흡연의 절제
② 노인질병의 특징 : 자각 증상이 적고 만성적으로 진행, 가족과 사회의 협력 필요

(5) 학교보건

① 학교보건법(교육부 제정) : 학교의 보건관리에 필요한 사항을 규정하고 학생과 교직원의 건강을 보호·증진을 목적으로 한다.
② 시행내용 : 학교의 환경위생, 식품위생, 학생건강증진계획 수립 및 시행, 질병예방, 감염병 예방접종 등
③ 학교 급식법(교육부 제정) : 학교 급식의 질을 향상시키고 학생의 건전한 심신발달과 국민 식생활 개선에 기여한다.

PART 2 안전관리

Chapter 1 개인 안전관리

1. 개인 안전사고 예방 및 사후조치

(1) 안전사고 예방 과정

위험 요인 제거 → 위험 요인 차단 → 오류 예방 → 재발 방지를 위한 개선

(2) 안전사고 원인(4M) : 인간(man), 기계(machine), 매체(media), 관리(management)

① 인간(man) : 심리적, 생리적, 직장 내 원인
② 기계(machine) : 기계설비 결함, 표준화 부족, 점검정비 부족
③ 매체(media) : 작업정보 부족, 작업자세·작업방법의 부적절, 작업환경 불량
④ 관리(management) : 관리조직의 결함, 규정매뉴얼 미구비, 안전관리계획 불량, 교육·훈련부족, 지도·감독부족, 건강관리 불량

2. 주방 안전관리

(1) 주방 내 안전사고 유형

① 인적 안전사고 원인
  ㉠ 개인의 정서적 요인 : 선·후천적 기질로서 과격함, 신경질, 시력이나 청력의 결함, 지식·기능 부족, 중독증
  ㉡ 개인의 행동적 요인 : 부주의함, 독단적 행동, 미숙함, 안전장치 점검 소홀, 결함 있는 기계 사용
  ㉢ 개인의 생리적 요인 : 피로감이 한계능력을 넘어섰을 때, 뜻하지 않은 실수를 유발하게 된다.
② 물적 안전사고 원인 : 각종 기계, 장비, 시설 요인으로 결함 있는 장비나 시설물의 노후에 의한 붕괴·화재 등
③ 환경적 요인에 의한 안전사고 : 건축물의 부적절한 설계, 통로의 협소, 채광, 조명, 환기 시설의 문제, 고열, 먼지, 소음, 진동, 가스 누출, 누전 등

(2) 개인 안전보호장비를 용도에 맞게 착용한다.

안전모, 보안경, 귀덮개, 방진마스크, 방열복, 안전화, 절연화 등

(3) 안전사고와 응급조치

① 현장의 안전 상태와 위험요소 파악
② 구조자 자신의 안전 여부 확인
③ 현장상황을 파악한 후 전문 의료기관(119)에 응급상황을 알린다.
④ 응급환자를 처치할 때 원칙적으로 의약품을 사용하지 않는다.

Chapter 2 장비·도구 안전관리

1. 조리장비·도구 안전관리 지침

(1) 조리장비·도구의 안전 및 유지관리를 위한 관리기준 수립

① 사전점검을 통한 유지관리 계획서 작성
② 현장조사를 통한 일상점검
③ 정기점검(안전관리책임자가 매년 1회 이상 점검)
④ 자연재해나 사고 등 갑작스런 요인에 의한 긴급점검
⑤ 정기적 유지보수를 통한 안전관리, 유지관리 정립

Chapter 3 작업환경 안전관리

1. 작업장 환경관리

(1) 작업장의 온도와 습도 관리

① 주방종사자는 상대적으로 온도에 민감한데 지속적으로 높은 온도와 습도, 기기의 방열 등은 신체적 정신적 건강에 피로를 증가시킨다.
② 기기의 뜨겁거나 차가운 표면에 지속적으로 노출 시, 피부 온도의 증가나 저온에 의해 추위를 느끼게 된다.
③ 적정 상대습도는 40~60%로 높은 습도와 온도는 무기력증, 이명증 등 정신건강에 문제가 생기고 낮은 습도에서는 피부 건조증을 일으킨다.

2. 작업장 안전관리

(1) 개인 안전보호용품 관리

① 안전보호용품은 목적에 맞게 준비, 작업 시 착용하는 것을 원칙으로 한다.
② 개인전용으로 청결하게 관리한다.

(2) 유해물질·위험물질·화학물질에 대한 안전취급기준에 따라 관리한다.

① 유해, 위험, 화학물질은 물질안전보건 자료를 비치하고 취급방법에 대하여 교육한다.
② 유해, 위험, 화학물질은 경고표지를 부착(내용물, 주의사항, 조제일자)한다.
③ 유해, 위험, 화학물질은 보관 중 넘어지지 않도록 주의하고 보관 상태를 수시로 점검한다.

3. 화재예방 및 조치방법

(1) 화재예방을 위한 안전 수칙

① 화재 안전교육
② 조리 시 자리 비우지 않기
③ 화구 근처에 인화성 물질 금지 – 부탄가스, 성냥, 라이타, 휴지, 행주
④ 후드 및 환풍기 기름때 제거
⑤ 주방 내 소화기 비치 및 소화전함 관리
⑥ 가스 누출 점검
⑦ 화재 시 비상통로 확보, 비상조명등 작동상태 점검
⑧ 출입구, 통로에 적재물 쌓아두지 않기

(2) 화재 발생 대처법

① 비상벨 작동
② 소화기를 사용해 초기 진화
③ 119신고, 인명대피 및 구조
④ 계단을 이용한 탈출

PART 3 재료관리

Chapter 1 식품과 영양

(1) 식품의 조건 : 영양적 가치, 위생적 가치, 기호적 가치, 경제적 가치

(2) 식품의 영양

① 열량 영양소 : 활동에 필요한 에너지 공급(탄수화물1g 4kcal, 단백질1g 4kcal, 지방1g 9kcal, 알코올1g 7kcal)
② 구성 영양소 : 발육을 위한 몸의 조직 성분 공급
③ 조절 영양소 : 섭취 영양소가 효과적으로 이용될 수 있도록 보조 역할

(3) 기초 식품군 분류

식품군	식품류
단백질	육류, 생선, 달걀, 콩
탄수화물	곡류, 서류, 전분류
비타민과 무기질	채소, 과일, 해조류, 버섯류
칼슘	우유, 유제품, 뼈째 먹는 생선
유지류	식물성 유지, 동물성 유지, 가공 유지

(4) 기타식품군

① 기호식품 : 영양소는 없지만 맛, 향, 색으로 식욕을 증진시키는 식품(커피, 차, 조미료)
② 강화식품 : 영양소를 첨가하거나 강화한 식품(강화미, 강화우유)
③ 즉석식품 : 간단한 조리법으로 먹기 편리하고 저장·보관이 용이한 식품(통조림, 냉동식품, 반조리 식품)

Chapter 2 식품재료의 구성 성분

1. 수 분

(1) 수분의 기능

① 생리작용 조절 : 영양소 운반, 체온 조절, 노폐물 배출, 삼투압 현상 관여
② 체내 수분 부족 시 발열, 혈액순환 장애가 일어난다. 20% 이상 손실 시 사망
③ 식품 성분의 물리적·화학적 변화, 조리·가공·저장에도 영향

(2) 순수한 물은 수분활성도(Aw)가 1로 탄수화물이나 단백질 등 가용성 영양소가 포함되어 있는 식품들의 수분활성도는 항상 1보다 작다.

(3) 식품별 수분활성도(Aw)

① 채소, 과일, 어류, 육류 : 0.90~0.98
② 곡류, 콩 : 0.60~0.64
③ 건조식품 : 0.2

(4) 미생물과 수분활성도(Aw)

세균(0.90~0.95) > 효모(0.88~0.90) > 곰팡이(0.65~0.8)

2. 탄수화물

(1) 단당류 : 탄수화물의 가장 간단한 구조로 더 이상 가수분해 되지 않는다.

① 포도당(Glucose) : 탄수화물의 최종분해산물로 혈액 중 0.1% 존재
② 과당(Fructose) : 단맛이 가장 강하고 과일, 꽃, 벌꿀에 존재
③ 갈락토오스(Galactose) : 유당의 구성 성분, 한천에 다당류 형태로 존재

(2) 이당류 : 단당류가 2개 결합된 당

① 자당(Sucrose) : 설탕, 포도당+과당이 결합된 당, 단맛의 표준으로 사탕수수·사탕무에 함유
② 맥아당(Maltose) : 엿당, 포도당+포도당, 물엿의 주성분
③ 유당(Lactose) : 젖당, 갈락토오스+포도당, 포유류의 유즙에 존재, 칼슘과 인의 흡수를 돕는다.

(3) 다당류 : 단당류가 2개 이상 결합된 당으로 단맛이 거의 없고 물에 녹지 않는다.

① 전분(Starch) : 포도당의 중합체로 아밀로오스와 아밀로펙틴으로 구성, 단맛은 없고 식물의 뿌리, 줄기에 존재
② 글리코겐(Glycogen) : 동물의 간과 근육에 존재
③ 섬유소(Cellulose) : 소화되지 않는 전분, 소화운동을 촉진
④ 펙틴(Pectin) : 세포막 사이에 존재, 과일과 해조류에 함유되어 있으며 gel화 되는 성질을 이용해 잼이나 젤리를 만든다.
⑤ 이눌린(Inulin) : 과당의 결합체로 돼지감자, 우엉에 함유

⑥ 만난(Manan) : 만노오스+포도당의 결합체, 소화가 안 된다. 곤약 감자에 존재

⑦ 알긴산(Alginic Acid) : 갈조류의 세포막 성분으로 미역, 다시마에 함유

⑧ 리그닌(Lignin) : 목재, 대나무 등에 함유

⑨ 키틴(Chitin) : 갑각류의 껍질에 분포하는 단백질과 복합체를 이루는 다당류

※ 감미도
과당(170) 〉 전화당(85~130) 〉 설탕(100) 〉 포도당(74) 〉 맥아당(60) 〉 갈락토오스(33) 〉 젖당(16)

3. 단백질

(1) 성분상 분류

① 단순 단백질 : 아미노산으로 구성 – 알부민, 글로불린, 글루텔린, 프롤라민, 히스톤 및 프로타민

② 복합 단백질 : 가수분해하면 아미노산 뿐만 아니라 유기물이나 무기물이 생성되는 단백질. 복합 단백질은 그 함유성분에 따라 – 핵단백질, 당단백질, 리포단백질, 인단백질, 금속단백질

③ 유도 단백질 : 단백질이 산, 알칼리, 효소 등의 작용이나 가열 등에 의하여 만들어진 것
ㄱ 변성 단백질 – 젤라틴(콜라겐), 응고 단백질(알부민, 달걀)
ㄴ 분해 단백질 – 펩톤, 펩타이드

(2) 영양상 분류

① 필수아미노산 : 체내 합성이 되질 않아 음식물로 섭취 – 트레오닌, 트립토판, 발린, 이소루신, 류신, 라이신, 페닐알라닌, 메티오닌 +히스티딘, 아르기닌

② 완전 단백질 : 성장과 생명 유지에 필요한 필수아미노산을 가지고 있는 단백질(달걀 – 알부민, 우유 – 카세인)

③ 부분적 불완전 단백질 : 일부 아미노산의 함량이 부족한 단백질 (쌀 – 오리자닌, 보리 – 호르데인)

④ 불완전 단백질 : 필수아미노산이 결여되어 생명 유지와 성장이 어려운 단백질(옥수수 – 제인)

4. 지질

(1) 지질의 분류

① 단순지질(중성 지방) : 3분자의 지방산+1분자의 글리세롤이 에스테르 상태 결합물로 지질 중 양이 가장 많음(왁스, 콜레스테롤 에스테르)

② 복합지질 : 단순지질에 다른 화합물이 결합된 지질(인지질, 당지질, 단백지질)

③ 유도지질 : 단순지질과 복합지질을 가수분해하면 얻어지는 물질 (지방산, 탄화수소, 스테로이드, 콜레스테롤, 에르고스테롤)

(2) 지방산의 분류

① 포화 지방산 : 융점이 높아 상온에서 고체로 존재, 이중결합이 없고 동물성 지방(팔미트산, 스테아르산, 부티르산)

② 불포화 지방산 : 융점이 낮아 상온에서 액체로 존재, 이중결합이 있으며 식물성 유지나 어류에 많다.(올레산, 리놀레산, 리놀렌산, 아라키돈산)

③ 필수 지방산 : 불포화 지방산 중 체내의 대사과정에서 반드시 필요한 지방산, 비타민 F로 불린다.(리놀레산, 리놀렌산, 아라키돈산)

④ 트랜스 지방산 : 불포화 지방산인 식물성 유지를 가공할 때 산패 억제를 위해 수소를 첨가하는 과정에서 생긴다.

(3) 지질의 기능적 성질

① 유화(에멀전화) : 기름과 다른 물질이 잘 섞이게 하는 작용
ㄱ 수중유적형(O/W) – 물 중에 기름이 분산(우유, 마요네즈)
ㄴ 유중수적형(W/O) – 기름 중에 물이 분산(버터, 마가린)

② 수소화 : 액체상태 기름에 수소(H_2)를 첨가하고 니켈(Ni)과 백금 (Pt)을 넣어 고체형 기름으로 만든 것(마가린, 쇼트닝)

③ 연화 : 밀가루 반죽에 유지를 첨가하면 반죽 내 지방을 형성하여 전분과 글루텐의 결합을 방해 하는 것(페이스트리)

④ 가소성 : 외부조건에 의해 유지 상태가 변했다가 외부조건을 원 상태로 복구해도 변형 상태가 그대로 유지되는 성질

⑤ 검화(비누화) : 지방이 수산화나트륨(NaOH)에 의해 가수분해되어 글리세롤과 지방산염을 생성하는 현상으로 저급 지방산이 많을수록 비누화가 잘됨

⑥ 요오드가(불포화도) : 유지100g 중에 첨가되는 요오드의 g수로 요오드가가 높다는 것은 유지를 구성하는 지방산 중 불포화 지방산이 많다는 것

5. 무기질

(1) 특성

① 신체 구성 성분의 필수요소
② 체액의 pH조절(산과 알칼리), 수분의 평형 조절
③ 생리작용의 촉매 역할
④ 신경 자극, 근육 수축, 혈액 응고 관여

(2) 분류

① 알칼리성 : 칼슘(Ca), 마그네슘(Mg), 나트륨(Na), 칼륨(K), 철분 (Fe), 구리(Cu), 망간(Mn), 코발트(Co), 아연(Zn)

② 산성 : 인(P), 황(S), 염소(Cl), 요오드(I)

(3) 종류

종류	식품	기능	결핍(과잉)
칼슘 (Ca)	뼈째 먹는 생선, 우유, 유제품	골격·치아 구성, 근육 수축·이완, 혈액 응고 관여	골다공증, 구루병, 발육 불량
철분 (Fe)	난황, 어패류, 간, 녹황색 채소	헤모글로빈 구성 성분	결핍-빈혈 과잉-신부전증
나트륨 (Na)	소금	산·알칼리 평형 유지, 수분 조절	결핍-근육경련, 식욕감퇴 과잉-고혈압, 부종
마그네슘 (Mg)	녹색 채소, 견과류, 두류, 통밀	단백질 합성, 뼈 구성, 신경흥분 억제	신경·근육 경련
인 (P)	유제품, 난황, 육류, 생선, 채소류	골격·치아구성(80%), 신경자극 전달	골격·치아발육불량, 골연화증
구리 (Cu)	아몬드, 연어, 콩, 브로콜리	철의 흡수와 이용률을 높임 뼈와 적혈구를 만듦	빈혈
망간 (Mn)	콩, 밀, 효모, 해조류	뼈 성장과 재생, 혈당 조절 단백질, 면역계, 신경계 유지	과잉-신경계 문제
염소 (Cl)	소금	혈액의 산성도 조절 소화, 면역 작용	식욕 부진

요오드 (I)	해산물, 해조류	갑상선 호르몬 생성	결핍-갑상선종, 발육정지 과잉-갑상선기능 항진증
아연 (Zn)	해산물, 육류, 달걀	소화 작용, 핵산 및 단백질 합성, 인슐린, 적혈구 구성 70여 종류 효소의 재료	면역 기능 저하, 상처 회복 지연
코발트 (Co)	간, 녹색 채소	비타민 B12의 성분, 조혈작용	악성 빈혈

6. 비타민

(1) 특성

① 대사작용 조절 물질(보조효소)
② 인체의 필요량은 미량이지만, 필수 물질
③ 대부분의 비타민은 체내 합성이 되질 않아 식품으로 섭취

(2) 수용성 비타민 : 필요량만 체내 보유, 여분은 배출. 결핍 증상이 빠르게 나타남. 매일 식품으로 섭취

종류	식품	결핍
비타민 B1 (티아민)	돼지고기, 곡류, 육류의 내장	각기병, 신경염
비타민 B2 (리보플라빈)	우유, 간, 달걀, 녹색 채소	구각염, 설염
비타민 B6 (피리독신)	간, 효모, 곡류	피부염
비타민 B9(엽산)	간, 달걀, 도정하지 않은 곡류	빈혈
비타민 B12 (시아노코발라민)	간, 내장, 생선, 달걀	악성빈혈
비타민 C (아스코르브산)	과일, 채소, 고추, 무청, 레몬	괴혈병, 잇몸병, 만성피로
나이아신	효모, 우유, 버섯	펠라그라, 피로, 불면증, 우울증
비타민 P(루틴)	메밀, 레몬껍질	피하 출혈로 보라색 반점

(3) 지용성 비타민 : 유지용매에 용해, 필요량 이상 섭취 시 체내에 저장, 결핍 증상이 서서히 나타남

종류	식품	결핍
비타민 A(레티놀)	간, 난황, 당근, 버터, 시금치	야맹증
비타민 D(칼시페롤)	건조 버섯, 간유, 효모	구루병, 골연화증
비타민 E (토코페롤)	식물성 유지, 견과류, 곡물배아	노화, 불임
비타민 K (필로퀴논)	양배추, 달걀, 녹황색 채소	혈액응고 지연
비타민 F	식물성 기름	피부염, 피부건조증

7. 식품의 맛

(1) 기본적인 맛

① 단맛 : 포도당, 과당, 자당, 맥아당, 젖당
② 짠맛 : 소금(염화나트륨)
③ 신맛 : 과일·채소(구연산), 사과산, 주석산, 식초
④ 쓴맛 : 커피, 차, 초콜릿, 맥주

※ 맛을 느끼는 순서 : 짠맛 → 단맛 → 신맛 → 쓴맛

(2) 보조적인 맛

① 매운맛 : 캡사이신, 피페린, 채비신(후추), 쇼가올(생강), 시니그린(겨자), 알리신(양파·마늘)
② 감칠맛 : 글루타민산(다시마, 김, 간장, 된장), 이노신산(가다랭이, 멸치), 아미노산(쇠고기)
③ 떫은맛 : 탄닌
④ 아린맛 : 고사리, 고비, 죽순, 우엉, 토란, 도라지

(3) 맛의 변화

① 온도 : 혀의 미각은 30℃일 때 가장 예민한 편으로 단맛, 짠맛, 쓴맛은 온도가 낮을 때, 매운맛은 온도가 높을 때 느껴지며 신맛은 온도의 영향을 받지 않는다.
② 맛의 대비 : 서로 다른 맛을 혼합했을 때 주된 맛이 강하게 느껴진다.(팥죽 : 설탕+소금 = 단맛 강화)
③ 맛의 상승 : 같은 맛을 혼합하면 더 강하게 맛이 난다.
(설탕+꿀 = 더 달다.)
④ 맛의 억제 : 서로 다른 맛을 혼합하면 주된 맛이 약해진다.
(커피+설탕 = 덜 쓰게 느껴짐)
⑤ 맛의 변조 : 강한 맛 성분을 먹고 다른 맛을 먹게 되면 원래의 맛을 느낄 수 없다.(쓴맛+물 = 물이 달게 느껴짐)

8. 식품의 향미(냄새)

(1) 식물성 식품 냄새

① 알코올 및 알데히드류 : 주류, 과일, 버섯, 커피, 계피, 오이
② 에스테르류 : 과일향, 단풍시럽, 카레
③ 테르펜류 : 박하, 레몬, 오렌지, 후추, 녹차, 생강, 미나리, 고수
④ 황화합물 : 무, 양파, 양배추, 된장, 간장, 고추냉이, 부추

(2) 동물성 식품 냄새

① 아민류 : 고기·생선
② 지방산, 카르보닐화합물 : 우유 및 유제품, 버터, 치즈

(3) 기타 성분

생선 비린내(트리메틸아민), 참기름(세사몰), 마늘(알리신), 고추(캡사이신), 겨자(시니그린), 후추(피페린), 생강(진저롤), 홍어(암모니아)

9. 식품의 색과 갈변

(1) 식물성 색소

① 클로로필(엽록소) : 열과 산 → 녹갈색, 알칼리 → 진녹색
② 카로티노이드 : 황색·오렌지색·적색, 당근, 고구마, 고추, 늙은 호박, 토마토에 존재, 프로비타민 A의 기능
③ 플라보노이드 : 흰색·황색의 수용성 색소로 밀가루, 양파, 귤
④ 안토시아닌 : 산성 → 적색, 중성 → 자색, 알칼리성 → 청색

(2) 동물성 색소

① 미오글로빈 : 근육 색소, 산소에 반응
② 헤모글로빈 : 혈액 속에 함유, 철 함유
③ 헤모시아닌 : 문어·오징어의 회색 → 가열 시 자색
④ 아스타잔틴 : 새우·게의 회청록 → 가열 시 적색
⑤ 카로티노이드 : 연어, 송어 살의 분홍색

(3) 효소적 갈변

① 폴리페놀 옥시다아제 : 채소·과일의 껍질을 벗기거나 자를 때

② 티로시나아제 : 감자

③ 갈변 억제 : 가열, 산 처리, 당·염 처리, -10℃ 보관, 산소 제거, 구리·철 기구 사용을 피한다.

(4) 비효소적 갈변

① 마이야르 반응 : 아미노기와 카르보닐 화합물의 반응(자연발생), 간장, 된장, 홍차

② 캐러멜화 반응 : 당류를 고온(180~200℃)으로 가열 시 산화 및 분해 산물에 의한 중합·축합에 의해 발생, 양파볶음, 약식

③ 아스코르빈산 산화 반응 : 항산화제로의 기능을 상실하고 갈변 반응을 일으키는 것, 감귤주스의 갈색화

Chapter 3   식품과 효소

1. 효소작용에 영향을 미치는 요인

① 온도 : 최적 온도는 30~40℃이며 내열성 효소는 70℃에서 활성화 된다.

② pH : 펩신의 최적은 pH1~2, 트립신은 pH7~8

③ 저해제 : 은(Ag), 수은(Hg), 납(Pb), 시안화물, 계면활성제 등

2. 효소의 이용

① 식품 내에 포함되어 있는 효소 : 장류, 육류, 치즈, 과일, 전분질 식품(감자, 고구마)

② 식품 내 효소작용을 억제 : 신선도를 유지하기 위해 변질을 방지할 목적으로 효소작용 억제(과일의 갈변)

③ 식품에 효소 첨가 : 고기의 육질 연화를 목적으로 프로테아제 첨가

④ 효소에 의한 전분의 가수분해 : 포도당, 식혜, 엿

3. 영양소와 효소

(1) 탄수화물

① 소화효소 : 아밀라아제, 수크라아제, 말타아제, 락타아제

② 분해산물 : 포도당

(2) 단백질

① 소화효소 : 펩신, 펩티다아제, 트립신

② 분해산물 : 아미노산

(3) 지질

① 소화효소 : 리파아제, 스테압신

② 분해산물 : 지방산, 글리세롤

PART 4 구매관리

Chapter 1 | 시장조사 및 구매관리

1. 시장조사

(1) 목적 : 구매예정가격 결정, 품질, 조달기간, 구매수량, 공급자, 지불 조건 등을 결정하기 위한 정보를 수집하여 합리적 구매계획을 수립하여야 한다.

(2) 시장조사의 내용

① 품목
② 품질
③ 수량
④ 가격
⑤ 사용시기와 시장시세
⑥ 구매거래처와 거래조건

(3) 시장조사의 원칙

① 비용 경제성의 원칙 : 조사에 드는 비용은 최소화 시킬 것
② 조사 적시성의 원칙 : 구매업무를 수행하는 시간 내에 끝낼 것
③ 조사 탄력성의 원칙 : 시장상황·가격변동에 탄력적으로 대응할 수 있을 것
④ 조사 계획성의 원칙 : 사전계획을 철저히 세울 것
⑤ 조사 정확성의 원칙 : 내용의 정확성을 지킬 것

2. 식품구매 관리

(1) 구매절차

구매목록 작성 → 품목의 종류와 수량 결정 → 용도에 맞는 제품 선택(규격서 작성) → 구매명세서 작성 → 공급자 선정과 가격 결정 (시장조사) → 발주 → 납품 → 검수 → 대금 지불과 물품 입고

(2) 식재료에 따른 구매주기

① 수시 구매 : 필요량을 필요시마다 구매
② 1일 구매 : 저장성이 적고 소비가 많은 재료(엽채류, 생선류)
③ 2~3일 구매 : 단기 보관이 가능한 채소류, 육류
④ 주 단위 구매 : 구근 채소류
⑤ 월별 구매 : 쌀, 건어물
⑥ 분기별 구매 : 세제, 행주, 타월 등 소모품

3. 식품 재고관리

(1) 재고관리의 기능

① 실제 물량과 예측 물량 간의 차이를 알 수 있다.
② 재고 보충시기를 결정한다.
③ 물품사용처 및 사용빈도를 알 수 있다.

(2) 재고관리

① 선입선출법 : 먼저 구입한 재료부터 소비하는 것
② 후입선출법 : 나중에 구입한 재료부터 소비하는 것
③ 개별법 : 구입 단가별 가격표를 붙인 후 출고 시 구입단가를 재료의 소비 가격으로 정한다.
④ 평균법 : 단순평균법과 이동평균법
⑤ 당기소비량 : (전기이월량+당기구입량)-기말재고량

Chapter 2 | 검수관리

1. 식품검수관리

(1) 식품위생법상의 검수기준에 따라 확인

① 제품명(기구, 용기, 포장 제외) 확인
② 식품의 유형(식품 첨가물 포함) 확인
③ 업소명 및 소재지를 확인
④ 제조 연월일 및 유통기한 확인
⑤ 내용량 확인
⑥ 성분 및 원재료명(식품첨가물 포함) 확인

(2) 검수 절차

납품 물품과 발주처·납품서 대조 → 품질 검사 → 물품의 인수·반품 → 인수 물품 입고 → 검수 기록 및 문서 정리

(3) 식품 검수 순서

냉장식품 → 냉동식품 → 신선식품(채소류) → 공산품

(4) 검수방법

① 전수 검수법 : 물품이 소량일 때 일일이 납품된 품목을 검수하는 방법으로 정확성은 있으나 시간과 경비가 많이 소요되는 단점이 있다. 또 검수품목 종류가 다양하거나 고가품일 경우에도 사용한다.
② 샘플링 검수법 : 대량 구매물품이나 동일품목으로 검수물량이 많을 경우 일부를 무작위로 선택해서 검사하는 방법이다.

(5) 검수를 위한 장비 관리

① 검수대 : 입고물품을 바닥에 내려놓지 않는다.
② 조명 : 물품의 표시사항 및 품질 이상 유무 등을 확인할 수 있도록 540Lux 이상의 조도일 것
③ 저울 : 물품의 정확한 양을 측정하기 위하여 측정 가능한 범위의 저울을 구비할 것
④ 온도계 : 적정 온도를 유지한 채 운반되었는지 확인할 수 있는 정확한 온도계를 구비할 것
⑤ 선반 : 검수하는 동안 입고물품을 올려놓을 수 있도록 청결한 선반을 구비한다.

Chapter 3 | 원 가

1. 원가의 의의 및 종류

(1) 원가계산의 목적

① 가격결정 : 제품의 판매가격 결정(실제원가+이윤 = 판매가)
② 원가관리 : 원가절감을 위한 원가관리의 기초자료 제공
③ 예산편성 : 예산편성을 위한 기초자료 제공
④ 재무제표 작성 : 기업의 이해관계자들에게 경영활동에 관한 결과를 보고할 목적으로 재무제표를 작성하기 위한 기초자료

(2) 원가의 3요소

① 재료비 : 제품의 제조를 위해 소비되는 물품의 원가(재료 구입비)
② 노무비 : 제품의 제조를 위해 소비되는 노동의 가치(임금, 상여금, 시간외 수당)
③ 경비비 : 제품의 제조를 위해 소비되는 재료비, 노무비 외의 비용(수도요금, 전기요금, 보험료, 외주비용, 감가상각비)

(3) 원가 계산식

① 직접원가 = 직접재료비+직접노무비+직접경비
② 제조간접비 = 간접재료비+간접노무비+간접경비
③ 제조원가 = 직접원가+제조간접비
④ 총원가 = 제조원가+판매관리비
⑤ 판매가격 = 총원가+이익

(4) 손익분기점 : 한 기간의 매출액이 당해 기간의 총비용(고정비+변동비)과 일치하는 점을 말한다.

(5) 감가상각비 : 시간이 지남에 따라 감소하는 자산의 가치를 연도에 따라 일정한 비율로 할당하여 비용화하는 것을 말하며 이때 감가된 비용을 감가상각비라 한다.

Chapter 1 | 조리 준비

1. 조리의 정의 및 원리

① 정의 : 식품을 위생적으로 손질하고 물리적·화학적 처리를 한 후 사람이 먹기 좋은 상태를 만드는 과정
② 목적 : 영양성, 기호성, 안전성, 저장성

2. 기본 조리조작

(1) 조리방법

① 기계적 조리 : 씻기, 다듬기, 썰기, 다지기, 치대기, 무치기, 무게 달기, 담아내기
② 가열 조리
　㉠ 습열 : 데치기(Blanching), 끓이기(Boiling), 삶기(Poaching), 찌기(Steaming)
　㉡ 건열 : 굽기(Broiling), 볶기(Sauteing), 튀기기(Deep-Frying), 지지기(Fan-Frying)
　㉢ 초단파(Microwave)
③ 화학적 조리 : 효소에 의한 분해, 알칼리에 의한 연화·표백작용, 알코올의 탈취·방부작용, 금속염의 응고 작용

(2) 계량방법

① 가루상태의 식품 : 가루를 계량할 때는 부피보다는 무게로 계량하는 것이 정확하지만 편의상 부피로 계량할 때는 누르지 말고 수북하게 담아 평평한 것으로 고르게 밀어 표면이 평면이 되도록 깎아서 계량하도록 한다.
② 액체식품 : 기름·간장·식초 등의 액체식품은 계량컵이나 계량스푼에 가득 채워서 계량하거나 평평한 곳에 놓고 눈높이에서 보아 눈금과 액체의 표면 아랫부분을 눈과 같은 높이로 맞추어 읽는다.
③ 고체 식품 : 고체 지방이나 다진 고기 등의 고체 식품은 계량컵이나 계량스푼에 빈 공간이 없도록 가득 채워서 표면을 평면이 되도록 깎아서 계량한다.
④ 알갱이 식품 : 쌀·팥·통후추 등의 알갱이 식품은 계량컵이나 계량스푼에 가득 담아 살짝 흔들어서 공간을 메운 뒤 표면을 평면이 되도록 깎아서 계량한다.
⑤ 농도가 큰 식품 : 고추장, 된장 등의 농도가 큰 식품은 계량컵이나 계량스푼에 꾹꾹 눌러 담아 표면을 평면이 되도록 깎아서 계량한다.

(3) 계량 단위

① 1C = 컵 = 200cc = 200ml(미국은 240ml)
② 1TS(테이블스푼) → 15㎖(밀리리터) = 큰 술
③ 1ts(티스푼) → 5㎖(밀리리터) = 작은 술
④ 1L(리터) → 1,000㎖(밀리리터)
⑤ 0.5L(리터) → 500㎖(밀리리터)

3. 조리장의 시설 및 설비관리

(1) 조리장의 3원칙 : 위생성, 능률성, 경제성

(2) 조리장의 설비

① 건물
　㉠ 내구력이 충분할 것
　㉡ 객실과 객석의 구분이 명확할 것
　㉢ 조리장 바닥과 내벽 1m까지는 물청소가 가능한 자재를 사용할 것
　㉣ 미끄럽지 않고 산, 염, 유기용액에 강할 것
② 작업대
　㉠ 작업대 높이는 신장의 52%로 서서 허리를 굽히지 않아야 하고 너비는 55~60cm
　㉡ 작업대와 뒤 선반의 간격은 최소 150cm 이상으로 한다.
　㉢ 작업 동선에 따른 기기배치 : 준비대 → 개수대 → 조리대 → 가열대 → 배선대
③ 환기구
　㉠ 창문에 팬을 설치하는 방법과 후드를 설치하는 방법이 있으며, 4방 개방형이 효율적이다.
　㉡ 후드장치는 가열기구의 설치범위보다 넓어야 흡입 효율성이 높다.
　㉢ 청소하기 쉬운 구조와 녹슬지 않는 재질이어야 한다.

Chapter 2 | 식품의 조리 원리

1. 농산물의 조리 및 가공·저장

(1) 전분

① 전분의 호화(α화)
- ㉠ 전분에 수분을 넣고 가열할 때 일어나는 물리적 변화로 점성이 증가하며 투명해진다.
- ㉡ 호화의 3단계 : 수화 → 팽윤 → 콜로이드
- ㉢ 호화에 영향을 미치는 인자 : 전분입자의 크기가 클수록, 가열 온도가 높을수록, 쌀의 도정률이 높을수록, 수침시간이 길수록

② 전분의 노화(β)
- ㉠ 호화된 전분을 실온이나 그 이하의 온도로 방치하게 되면 분자구조가 다시 규칙적으로 정렬되면서 생전분의 구조와 같은 물질로 되돌아가는 현상
- ㉡ 노화되기 쉬운 환경 : 수분 함량 30~60%, 온도 0~5℃, 아밀로오스 함량이 많을 때
- ㉢ 노화 억제법 : 수분 함량을 15% 이하로 유지, 0℃ 이하 보관, 60℃ 이상 유지, 설탕, 지방, 유화제 첨가

③ 전분의 호정화(Dextrin)
- ㉠ 전분에 수분을 넣지 않고 160℃ 이상으로 가열하게 되면 여러 단계의 가용성 전분을 거쳐 덱스트린으로 분해된다. 이 과정에서 구수한 맛과 갈색으로 색이 변하게 된다.
- ㉡ 호정화된 전분은 용해성이 생겨 물에 잘 녹고 저장성이 좋아진다. → 미숫가루, 누룽지, 뻥튀기, 팝콘

④ 전분의 당화 : 전분에 산을 넣거나 당화효소를 이용, 가수분해하여 포도당 또는 올리고당을 만들어 감미료를 만든다. → 조청, 물엿, 식혜

⑤ 전분의 겔(Gel)화 : 전분을 가열 조리 후 냉각시켜 굳히는 것으로 묵(도토리, 메밀, 청포), 앵두편 등이 있다.

(2) 밀 : 밀가루의 단백질 글리아딘(Gliadin)과 글루테닌(Glutenin)이 물과 결합하게 되면 점탄성의 글루텐(Gluten)을 형성하게 된다.

① 글루텐 함량에 따른 밀가루의 분류 및 용도

종 류	글루텐 함량	용 도
강력분	13% 이상	식빵, 파스타, 피자
중력분	10~13%	국수, 만두
박력분	10% 이하	케이크, 과자, 튀김옷

② 글루텐에 영향을 주는 물질
- ㉠ 팽창제 : 이스트(효모), 베이킹 파우더, 중조(중탄산나트륨)
- ㉡ 지방 : 글루텐 형성을 방해하여 부드럽고 바삭한 질감의 연화 작용
- ㉢ 달걀 : 구조를 형성하고 팽창제, 유화제 역할을 하며 색과 풍미를 준다.
- ㉣ 설탕 : 고온에서 캐러멜로 갈색반응이 일어나고 연화작용을 한다.
- ㉤ 소금 : 맛을 향상시키고 글루텐의 구조를 단단하게 만든다.

(3) 채소류

① 채소의 분류
- ㉠ 엽채류 : 배추, 양배추, 상추, 시금치, 근대, 아욱, 쑥갓, 청경채
- ㉡ 경채류 : 아스파라거스, 샐러리, 죽순, 두릅
- ㉢ 근채류 : 무, 당근, 연근, 우엉
- ㉣ 과채류 : 오이, 가지, 고추, 호박, 토마토, 아보카도
- ㉤ 화채류 : 아티초크, 브로콜리, 컬리플라워

② 채소의 갈변 현상
- ㉠ 효소적 갈변 현상 : 감자, 연근, 우엉 등은 껍질을 벗겨 놓으면 갈색으로 갈변하게 된다.
- ㉡ 비효소적 갈변 현상 : 산을 첨가하거나 가열하게 되면 엽록소가 페오피틴으로 변하게 되어 갈색이 된다. 따라서 채소를 데칠 때는 뚜껑을 열고 유기산을 휘발시키고 찬물로 헹군다.
- ㉢ 갈변 억제법 : 가열(효소의 불활성화), 진공(산소 차단), 산처리(pH3 이하)

(4) 과일류

① 효소에 의한 갈변 억제 : 고농도의 설탕 용액, 저농도의 소금물, 레몬즙 등의 산처리

② 잼, 젤리, 프리저브, 마말레이드 등으로 조리, 보존기간을 늘릴 수 있다.

2. 축산물의 조리 및 가공·저장

(1) 육류

① 육류의 사후경직 : 동물은 도살 직후 근육이 단단해지는 사후경직(강직) 상태가 되면서 젖산이 생성되고 pH저하로 산성화 된다. 이후 최대강직 상태가 지나고 체내 효소에 의해 자기소화 현상을 거쳐 풍미가 좋아지고 육질이 연해지게 된다.

② 육류의 연화법
- ㉠ 기계적 방법 : 잘게 다지거나 망치로 두드려 근섬유를 끊어준다.
- ㉡ 효소 : 파파야의 파파인(Papain), 무화과의 피신(Ficin), 파인애플의 브로멜린(Bromelin), 배의 프로테아제(Protease), 키위의 액티니딘(Actinidin)
- ㉢ 염의 첨가 : 1.5% 이하의 소금은 보수성을 증가시키고 중량 손실을 적게 하지만 5% 이상은 탈수작용이 일어나 질겨지게 된다.
- ㉣ 당의 첨가 : 설탕은 조직을 연하게 만든다.
- ㉤ 가열 : 콜라겐 조직은 장시간 물에 끓이면 가수분해되어 연해진다.

3. 수산물의 조리 및 가공·저장

(1) 어류의 신선도

① 육질이 단단하고 탄력이 있으며 내장이 밖으로 나오지 않을 것
② 아가미의 색이 붉고 눈이 맑고 튀어 나온 것
③ 비늘이 잘 붙어있으며 광택이 있고 점액질이 없을 것

(2) 어취의 제거 방법

① 생선 비린내의 주성분인 트릴메틸아민은 수용성이므로 흐르는 물에 씻는다.
② 식초나 레몬즙을 첨가하면 비린내가 감소된다.
③ 마늘, 파, 양파, 생강, 겨자 등의 향신료는 비린향을 제거한다.
④ 간장, 된장, 고추장 등의 장류는 비린내를 억제한다.
⑤ 알코올은 휘발성 어취를 제거하고 맛을 향상시킨다.

4. 난류의 조리 및 가공 · 저장

(1) 달걀의 특성 : 열 응고성, 기포성, 유화성, 녹변 현상

(2) 달걀의 신선도

① 표면이 거칠고, 흔들어서 소리가 나지 않는 것이 신선하다.
② 기실의 크기가 작고 난황이 중앙에 위치하며 이물질이 보이지 않는 것
③ 신선도가 떨어질수록 난백계수와 난황계수수치가 낮다.
④ 6% 소금물에 달걀을 넣었을 때 가라앉는 것이 신선한 것

5. 우유 및 유제품의 가공 · 저장

(1) 우유의 성분

① 주성분은 동물성 단백질과 칼슘으로 대표적인 완전식품이다.
② 우유 단백질의 80%를 차지하는 카세인은 칼슘과 결합된 형태로 산이나 레닌 첨가 시 응고되지만 열에는 안정적이라 응고되지 않는다.
③ 유청 단백질은 20% 정도로 카세인이 응고된 후 남아있는 단백질로 열에 응고된다.

(2) 우유의 조리

① 식품의 색을 희게 하고 부드러운 맛과 방향성이 있다.
② 미세한 지방구와 단백질 입자로 생선 비린내, 닭고기나 내장의 이취 등을 흡착, 제거한다.
③ 단백질의 Gel강도를 높인다.
④ 우유를 60℃ 이상으로 가열하면 표면에 얇은 피막이 생기는데 지방구와 단백질이 엉겨 변성된 것이다. 따라서 가열 시 저어가며 끓여준다.
⑤ 유당은 가열하게 되면 마이야르 반응으로 갈변한다.

6. 유지 및 유지 가공품

(1) 유지의 성질

① 가소성 : 버터, 마가린, 라드, 쇼트닝은 고체 지방의 가소성을 갖는다.
② 연화작용 : 유지류는 밀가루 글루텐의 형성을 방해하는데 이 성질을 이용하여 비스킷, 케이크 등을 만든다.
③ 유화성 : 친수기와 소수기를 갖고 있는 유지류의 특성으로 마요네즈, 버터, 마가린, 크림 수프 등을 만든다.

(2) 유지의 발연점이 낮아지는 요인 : 유리 지방산이 많을수록, 기름에 이물질이 많을수록, 그릇의 표면적이 넓을수록, 사용횟수가 많을수록 저하된다.

(3) 유지의 산패 요인

① 온도가 높을수록 반응속도 증가
② 빛과 자외선
③ 수분이 있으면 촉매 작용을 한다.
④ 금속이 닿으면 산화를 촉진

7. 냉동식품의 조리

(1) 냉동방법

① 동결 시간이 짧을수록 미세한 크기로 형성되어 조직의 파괴가 적다.(-40℃ 급속 동결법, -194℃ 액체 질소 냉동법)
② 채소류는 데친 후 동결시킨다.
③ 해동 후 재냉동은 하지 않는다.

(2) 냉동 중 식품의 변화

① 냉동 중 조직에 대형 얼음 결정이 생긴다.
② 드립(Drip)현상으로 수용성 단백질, 염류, 비타민류의 영양손실이 생긴다.
③ 중량과 풍미, 맛이 감소한다.

8. 조미료 및 향신료

(1) 조미료 : 식품의 맛을 증가시킬 목적으로 이용된다.

① 조미의 4가지 기본 맛 : 단맛, 신맛, 짠맛, 쓴맛
② 조미료 첨가 순서 : 설탕 → 술 → 소금 → 식초 → 간장 → 된장 → 고추장

(2) 향신료 : 향미 성분이 있는 식물의 종자, 열매, 잎, 줄기, 뿌리, 나무껍질, 꽃 등에서 얻는 재료

① 식품의 풍미를 높이고 맛을 향상시킨다.
② 육류, 생선의 불쾌취를 완화시킨다.
③ 곰팡이, 효모 발생, 부패균의 증식을 억제한다.
④ 소화효소를 활성화하고 정장제로서의 역할을 한다.

PART 6 양식 기초 조리

Chapter 1 | 양식 기초 조리 실무

1. 양식 조리

(1) 식재료 썰기

① 큐브(Cube) : 정육면체로 식재료를 써는 방법 중 가장 기본 썰기의 용어로 사방 2cm의 크기를 말하며 스튜나 샐러드 조리에 사용한다.

② 다이스(Dice) : 큐브보다는 작은 정육면체 크기로 사방 1.2cm의 크기다.

③ 스몰 다이스(Small dice) : 다이스의 반 정도로 정육면체, 사방 0.6cm의 크기이며 샐러드나 볶음 요리 등의 다양한 요리에 사용된다.

④ 브뤼누아즈(Brunoise) : 스몰 다이스의 반 정도, 사방 0.3cm의 크기로 가니쉬(Garnish)나 수프, 소스의 재료 등으로 많이 사용된다.

⑤ 쥘리엔(Julienne) : 재료를 얇게 자른 뒤 길게 써는 형태를 말하며, 0.3cm 정도의 두께로 써는 것

⑥ 파인 쥘리엔(Fine julienne) : 쥘리엔 두께의 반인 약 0.15cm로 써는 형태를 말하며, 가니쉬(Garnish)나 식재료의 롤 안에 넣는 속재료로 사용한다.

⑦ 시포나드(Chiffonnade) : 채소를 실처럼 얇게 썬 형태를 말하며, 푸른 잎채소나 허브 등은 말아서 최대한 얇게 써는 것을 말한다. 가니쉬(Garnish)로 많이 사용한다.

⑧ 바토네(Batonnet) : 감자튀김(프렌치프라이)의 형태로 써는 것을 말한다.

⑨ 슬라이스(Slice) : 바토네, 쥘리엔 등을 써는 초기 작업에 쓰이기도 한다.

⑩ 페이잔(Paysanne) : 두께 0.3cm로 가로세로 1.2cm 크기의 사각형 모양, 채소 수프에 사용된다.

⑪ 찹(Chop) : 식재료를 잘게 칼로 다지는 것, 양식 조리에서는 양파를 가장 많이 찹하며 샐러드나 볶음 요리, 소스 등의 기본 재료로 사용된다.

⑫ 샤또(Chateau) : 메인 요리 등에 사이드 채소로 많이 쓰이는 당근이나 감자를 길이 5~6cm 정도의 끝은 뭉뚝하고 배가 나온 원통 형태의 모양으로 깎는 것을 말한다.

⑬ 올리베트(Olivette) : 샤또보다는 길이가 짧고(4cm 정도) 끝이 뾰족하여야 하며, 올리브 형태로 깎는 것을 말한다.

⑭ 콩카세(Concasse) : 가로, 세로 0.5cm 크기의 정사각형으로 아주 작게 자르거나 다지는 것을 말한다.

(2) 조리와 가열 방법

① 철판구이(Broiling)
② 석쇠구이(Griling)
③ 로스팅(Roasting)
④ 굽기(Baking)
⑤ 볶음(Sauteing)
⑥ 팬 프라잉(Pan-frying)
⑦ 튀김(Deep-frying)
⑧ 삶기(Poaching)
⑨ 은근히 끓이기(Simmering)
⑩ 끓이기(Boiling)
⑪ 데치기(Blanching)
⑫ 찌기(Steaming)
⑬ 브레이징(Braising)
⑭ 스튜잉(Stewing)
⑮ 수비드(Sous vide)
⑯ 빠삐요트(en papillote)

2. 조식 종류

① 미국식 아침 식사(American breakfast) : 조식용 빵, 커피, 주스, 달걀요리, 감자, 햄, 베이컨, 소시지가 취향에 따라 제공된다.

② 유럽식 아침 식사(Continental breakfast) : 각종 주스류와 조식용 빵, 커피, 홍차로 구성된 간단한 아침 식사이다.

③ 영국식 아침 식사(English breakfast) : 빵과 주스, 달걀, 감자, 육류 요리, 생선 요리가 제공되며, 조식 요리 중 가장 많은 종류와 양으로 무겁게 느껴진다.

3. 달걀 요리

(1) 포치드 에그 : 껍질을 제거한 달걀을 90℃ 정도의 뜨거운 물에 식초를 넣어 익히는 방법이다.

(2) 보일드 에그 : 100℃ 이상의 끓는 물에 달걀을 넣고 원하는 정도로 익히는 것

① 코들드 에그(Coddled egg) : 100℃ 끓는 물에 넣고 30초 정도로 살짝 삶은 것

② 반숙 달걀(Soft boiled egg) : 100℃ 끓는 물에 넣고 3~4분간 삶아 노른자가 1/3 정도 익은 것

③ 완숙 달걀(Hard boiled egg) : 100℃ 끓는 물에 넣고 10~14분간 삶아 노른자가 완전히 익은 것

(3) 달걀 프라이(Fried egg) : 프라이팬을 이용하여 조리한 달걀

① 서니 사이드 업(Sunny side up) : 달걀의 한쪽 면만 익힌 것으로 달걀노른자가 떠오르는 태양과 같다고 해서 붙여진 이름이다.

② 오버 이지(Over easy egg) : 달걀의 양쪽 면을 살짝 익힌 것으로 달걀의 흰자는 익고 노른자는 익지 않아야 한다.

③ 오버 미디엄(Over medium egg) : 오버 이지와 같은 방법으로 조리하되 달걀노른자가 반 정도 익은 것

④ 오버 하드(Over hard egg) : 양쪽으로 완전히 익힌 것

(4) 스크램블 에그(Scrambled egg) : 팬에 버터나 식용유를 두르고 달걀을 넣어 빠르게 휘저어 만든 달걀 요리이다. 달걀이 단단해지지 않도록 주의하면서 부드럽게 만든다.

(5) 오믈렛(Omelet) : 프라이팬을 이용하여 럭비공 모양으로 만든 달걀 요리로 속재료에 따라 치즈 오믈렛, 스패니시 오믈렛 등이 있다.

(6) 에그 베네딕트(Egg benedictine) : 잉글리시 머핀에 햄, 포치드 에그를 얹고 홀랜다이즈 소스를 올린 미국의 대표적 요리이다.

4. 조찬용 빵

식빵이 일반적으로 사용되고 크루아상, 데니시 페이스트리, 보리빵, 바게뜨, 프렌치토스트, 팬케이크, 와플 등이 있다

(1) 아침 식사용 빵 종류

① 토스트 브레드 : 식빵을 얇게 썰어 구운 빵으로 버터나 잼을 발라 먹는다.
② 데니쉬 페이스트리 : 페이스트리 반죽에 잼, 과일, 커스터드 등의 속 재료를 채워 구운 덴마크의 대표적인 빵이다.
③ 크루아상 : 페이스트리 반죽을 초승달 모양으로 만든 프랑스의 대표적인 빵이다.
④ 베이글 : 가운데 구멍이 뚫린 링 모양으로 만들어 발효시킨 후 끓는 물에 익혀 오븐에 구워 낸다.
⑤ 잉글리시 머핀 : 샌드위치용으로도 많이 사용하는 영국의 대표적인 빵이다.
⑥ 바게뜨 : 밀가루, 이스트, 물, 소금만으로 만든 프랑스의 대표적인 빵이다.
⑦ 호밀 빵(Rye bread) : 향이 강한 독일의 전통 빵으로 섬유소가 많아 건강식이다.

(2) 조찬용 조리 빵

① 팬케이크(Pancake) : 밀가루, 달걀, 물 등으로 만들어 프라이팬에 구워 버터와 메이플 시럽을 뿌려 먹는다.
② 프렌치토스트(French toast) : 달걀, 계핏가루, 설탕, 우유에 빵을 담가 버터를 두르고 팬에 구워 먹는다.
③ 와플(Waffle) : 아침 식사와 브런치, 디저트로도 인기가 높다. 종류는 벨기에식 와플과 미국식 와플 두 가지가 있다.

5. 코스요리의 종류와 순서

(1) 프랑스 정찬

① 아페리티프(Apéritifs) : 주인이 손님에게 권하는 한두 잔의 술
② 오르되브르(hors d'œuvre) : 불에 익히지 않은 전채
③ 앙트레(Entree) : 애피타이저
④ 푸아송(poisson) : 생선
⑤ 비앙드(Viande) : 육류
⑥ 살라드(salad) : 채소
⑦ 프로마주(Formage) : 치즈
⑧ 데세르(dessert) : 후식
⑨ 프휘(fruit) : 과일
⑩ 카페(caf) : 커피
⑪ 코냑(cognac)

(2) 이탈리아 정찬

① 아페르티보(Aperitivo) : 식전 음식이라고 할 수 있는 아페르티보는 결혼식 같은 행사나 명절에 먹는 요리이며 정찬 요리 전에 나오는 음식이다. 서서 먹는 경우가 흔하며 식전주와 함께 먹는다.
② 안티파스토(Antipasto) : 문자 그대로는 "식사 전"이라는 뜻이지만, 차갑거나 뜨거운 요리를 먹는다. 연어나 참치로 요리한 음식을 많이 먹는다.
③ 프리모(Primo) : "첫 번째 순서"인 프리모는 파스타, 리소토, 뇨키 등을 많이 먹으며, 대개 곡류를 이용한 음식을 주로 먹는다.
④ 세콘도(Secondo) : "두 번째 요리"라는 의미로서 생선이나 육류로 만든 정찬 요리를 먹는다. 전통적으로는 돼지고기, 닭고기가 가장 많이 쓰이며 해안 지역에서는 생선을 사용하기도 한다.

⑤ 콘토르노(Contorno) : "곁들여 먹는 음식"인 콘토르노는 채소나 샐러드를 먹게 된다. 전통적으로는 샐러드를 프리모와 세콘도 코스 중에 먹는다.
⑥ 포르마조 에 프루타(Formaggio e frutta) : "치즈와 과일"을 먹는 단계로 첫 번째 후식에 해당된다.
⑦ 돌체(Dolce) : "단것"이라는 의미로 아이스크림이나 과일, 과자나 케이크, 티라미수를 포함하기도 한다. 아이스크림의 경우에는 생과일을 얹어 먹는다.
⑧ 파스티체리아(Pasticceria) : 단 과자의 또 다른 말로 돌체와 식사의 일부로 구분할 수 있다.
⑨ 디제스티보(Digestivo) : 소화를 돕는다는 뜻으로 식후에 마시는 술로 도수가 높은 술을 주로 먹는다.
⑩ 카페(Caff)

Chapter 2 | 스톡 조리

1. 스 톡

육류나 어류와 함께 향신채소, 향신료를 넣고 풍미가 있는 육수를 내는 것으로 수프나 소스의 기초가 된다.

2. 스톡의 재료

① 부케가르니(Bouquet garni) : 일반적으로 부케가르니에는 파슬리, 월계수잎, 정향, 타임, 로즈메리 등의 향신료와 통후추, 셀러리, 리크 등의 향신 채소를 실로 묶거나 고정하여 사용한다.
② 미르포아(Mirepoix) : 스톡의 향을 강화하기 위한 양파, 당근, 셀러리의 혼합물이다. 기본적으로는 양파 : 당근 : 셀러리 = 50% : 25% : 25%의 비율로 사용한다.
③ 뼈(bone) : 스톡에 향과 석을 부여하는 중요한 재료로 소뼈가 가장 많이 사용된다.

3. 스톡의 종류

① 화이트 스톡(white stock) : 소나 닭 뼈, 미르포아, 부케가르니를 넣어 은근히 끓여(simmering) 만드는 것으로 조리 과정 중에 색깔이 나지 않게 한다.
2) 브라운 스톡(Brown Stock) : 브라운 스톡에 사용되는 뼈와 미르포아를 높은 열에서 구워서 사용하고 토마토 페이스트 등의 부산물을 첨가하게 된다. 따라서 브라운 스톡에서는 좀 더 강한 육즙 향이 난다.
③ 피쉬 스톡(Fish Stock) : 생선뼈나 갑각류의 껍질, 미르포아, 부케가르니로 만든다. 색깔을 낼 필요가 없기 때문에 1시간 이내의 짧은 시간에 조리한다.
④ 쿠르 부용(Court bouillon) : 미르포아와 부케가르니에 식초나 화이트와인을 넣어 은근히 끓여서 만든다. 생선 요리나 고기를 삶는데 이용된다.

Chapter 3 | 소스 조리

1. 농후제

(1) 루(Roux) : 루는 밀가루와 버터를 볶아 풍미가 나도록 한 것
① 화이트 루(White Roux) : 색이 나기 직전까지만 볶아낸 것으로 베사멜 소스와 같은 하얀색 소스를 만들 때 사용한다.
② 브론드 루(Brond Roux) : 황금 갈색이 돌 때까지 볶은 것으로 대부분의 크림 수프나 수프를 끓이기 위한 벨루테를 만들 때 사용한다.
③ 브라운 루(Brown Roux) : 갈색의 루를 만들어 색이 짙은 소스에 쓰이며 스테이크 소스에 주로 사용하였다.

(2) 뵈르 마니에(Beurre Manie) : 버터와 밀가루를 1 : 1의 비율로 섞어서 만든 것으로 소스를 진하게 만드는 데 쓰인다.

(3) 전분(Cornstarch) : 육수가 끓기 시작하면 불을 줄이고 국자(레들)를 이용하여 미리 만들어 둔 전분 물을 섞어 농도를 낸다.

(4) 달걀(Eggs) : 달걀노른자를 이용하여 농도를 낸다. 디저트 소스인 앙글레이즈, 홀렌다이즈, 마요네즈도 달걀노른자의 단백질 특성을 활용한 소스이다.

(5) 버터(Butter) : 수프를 끓인 다음 버터의 풍미를 더하기 위해 불에서 내린 다음 포마드 상태의 버터를 넣고 잘 저어주면 약간의 농도를 더할 수 있다.

2. 토마토 소스

① 토마토 홀(토마토 껍질만 벗겨 통조림으로 만든 것)
② 토마토 퓌레(토마토를 파쇄하여 조미 없이 농축시킨 것)
③ 토마토 페이스트(토마토 퓌레를 농축하여 수분을 날린 것)
④ 토마토 쿨리(토마토 퓌레에 향신료를 가미한 것)

3. 우유 소스

① 베샤멜 소스 : 팬에 버터와 밀가루를 넣고 볶다가 색이 나기 전에 차가운 우유를 넣고 만든 소스로 그라탱의 소스로 유용하다.
양파 : 밀가루 : 버터 : 우유 = 1 : 1 : 1 : 20
② 크림 소스 : 졸이기만 해도 자체 농도로 소스화 할 수 있으나. 생선 육수 등을 첨가하거나 화이트 와인을 넣어 사용할 때는 생크림을 졸여 뵈르 마니에(Beurre Manier)로 농도를 맞추기도 한다.

4. 유지 소스

① 식용유 이용 : 올리브유, 포도씨유, 해바라기씨유
② 마요네즈 소스 : 달걀, 식용유, 식초, 레몬, 후추, 소금이 사용된다. 파생된 것으로 사우전드 아일랜드, 타르타르 소스, 시저 드레싱 등이 있다.
③ 비네그레트 소스 : 채소에 잘 어울리는 드레싱으로 기름과 식초의 비율은 일반적으로 3 : 1이다.

④ 버터 소스 : 대표적인 것으로 홀렌다이즈와 뵈르 블랑(beurre blanc)이 있다.

⑤ 디저트 소스 : 앙글레이즈 소스를 모체로 하는 크림 소스(커스터드)와 과일 퓌레를 졸여 리큐르를 첨가하여 단맛을 강조한 소스가 있다.

5. 소스 사용법

① 소스는 주재료의 맛을 더 좋게 만들 수 있어야 한다.
② 소스의 향이 강하면 주재료의 맛이 저하된다.
③ 색감을 내기 위해 곁들여 주는 소스는 색이 변질되면 안 된다.
④ 튀김 종류의 소스는 눅눅해지지 않도록 제공 직전 뿌려주어야 한다.
⑤ 질 좋은 고기를 사용할 경우 맛에 방해될 수 있으므로 많은 양의 소스를 제공하지 않는다.

$$\boxed{\text{Chapter } 4} \quad \boxed{\text{수프 조리}}$$

1. 수프를 구성하는 요소

① 스톡(Stock) : 수프의 가장 기본이 되는 요소로 소고기, 닭고기, 생선, 채소 등의 재료를 우려낸 국물, 수프 본래의 맛을 낼 수 있어야 한다.
② 루(Roux) : 루는 밀가루와 버터를 볶아 풍미가 나도록 한 것으로 농도를 조절하는 농후제 역할을 한다.
③ 가니쉬(Garnish) : 가니쉬는 수프의 맛을 증가시켜주는 역할을 하는 재료로 수프와의 조화가 잘 이루어져야 한다. 가니쉬로 사용하는 재료는 크루통, 토마토콩카세, 파슬리, 달걀 요리, 덤플링(Dumpling), 휘핑크림 등의 다양한 재료가 사용되고 있다
④ 향신료 : 음식에 풍미를 더해 식욕을 촉진시키고 방부 작용과 보존성을 줄 수 있다. 서양 요리에선 빠질 수 없는 식재료이다.

2. 수프의 종류

(1) 콩소메(맑은 수프) : 소, 닭, 생선, 채소 등을 오래 끓여 맑게 우려낸 수프, 다른 요리에 풍미를 더하는 기본 육수처럼 사용되기도 한다.

(2) 크림·퓌레 수프 : 부드러운 맛과 식감으로 가장 대중적인 수프다.

① 크림 수프는 베샤멜과 벨루테 소스를 기본으로 만든다.
② 포타주(Potage) : 호박, 감자, 콩을 사용하여 재료 자체의 녹말 성분을 이용하여 걸쭉하게 만든 수프
③ 퓌레(Puree) : 채소를 곱게 갈아서 부용(Bouillon)을 첨가하여 만든다. 크림은 사용하지 않는다.
④ 차우더(Chowder) : 게살(조갯살), 감자, 우유를 이용한 크림 수프이다.

(3) 비스크 수프(Bisque soups) : 바닷가재, 새우 등의 갑각류 껍질을 으깨어 채소와 함께 끓이는 수프이다. 마무리로 크림을 넣어 주는데 부재료를 많이 첨가하여 맛이 변하지 않게 해야 한다.

(4) 차가운 수프 : 스패니시 수프인 가스파초(Gazpacho)가 콜드 수프의 대표격으로 오이, 토마토, 양파, 피망, 빵가루에 올리브유와 마늘을 곁들여 제공하는 것이다. 최근에는 과일과 신선한 채소를 퓌레(Puree)로 만들어 크림이나 다른 가니쉬를 곁들이는 방법도 많이 사용하고 있다.

(5) 그 외 수프 : 나라별, 지역별로 특색 있는 전통 수프는 어니언그라탕 수프, 미네스트로네, 부야베스, 헝가리안 굴라쉬, 러시아 보르시치, 태국 톰얌꿍, 인도의 커리 등이 있다.

3. 수프와 가니쉬

① 가니쉬 형 : 블렌칭한 채소, 누들, 달걀, 버섯, 라비올리 등
② 토핑 형 : 거품 크림, 크루통, 차이브 등의 향신료
③ 별도로 제공되는 형 : 빵, 달걀, 토마토 등

Chapter 5	전채 조리

1. 전채 요리의 특징

① 오르되브르(Hors d' oeuvre) : 리큐르와 적은 양의 요리를 먹은 것에서 유래되었다.
② 칵테일(Cocktail) : 해산물이 주재료로 작게 만들어 차갑게 제공되어야 하며 모양이 예뻐야 한다.
③ 카나페(Canape) : 빵을 얇게 썰거나 크래커를 사용하여 다양한 재료를 토핑해서 만든다.
④ 렐리시(Relishes) : 셀러리, 무, 올리브, 피클, 채소 스틱 등을 예쁘게 손질하여 마요네즈 등을 곁들여 낸다.

2. 전채 요리의 재료

① 육류 : 소고기의 안심, 등심, 파르마햄, 프로슈토
② 가금류 : 오리, 거위, 닭, 메추리 등을 로스트하거나 테린(Terrine), 훈제(Smoked), 갈라틴(Galantine)하여 사용한다.
③ 생선류 : 타르타르(Tartar), 훈제(Smoked), 세비체(Ceviche), 쿠르 부용(court bouillon)에 살짝 삶아서 콩디망(Condiments)으로 양념한다.
④ 채소류 : 양상추(Lettuce), 당근(Carrot), 셀러리(Celery), 양파(Onion) 등

3. 전채 요리의 메뉴

스터프트 에그, 새우 카나페, 햄 카나페, 참치 타르타르, 새우 칵테일, 멜론과 파르마햄, 채소 렐리시, 훈제연어 롤, 소고기 카르파초, BLT 샌드위치

4. 전채 요리의 조리

① 신맛과 짠맛이 침샘을 자극해서 식욕을 돋우어야 한다.
② 크기를 작게 하고 모양과 색에서 아이디어와 예술적 감각이 돋보여야 한다.
③ 지역의 특성과 계절에 맞는 다양한 식재료를 사용해야 한다.
④ 주 요리에 사용되는 재료와 조리법이 겹치지 않게 다양한 조리법으로 만들어야 한다.

5. 전채 요리에 어울리는 콩디망(Condiment)

① 오일 앤 비네그레트 : 기본 양념, 오일 : 식초 = 3 : 1의 비율에 소금과 후추로 간을 한다. 해산물과 채소에 잘 어울린다.
② 베지터블 비네그레트 : 피망, 파프리카, 양파, 마늘, 파슬리 등을 작게 잘라 오일과 식초, 소금, 후추로 간 한다. 해산물 요리에 많이 사용된다.
③ 토마토 살사 : 토마토 콩카세에 양파, 올리브유, 적포도주, 식초, 파슬리 다진 것을 넣고 소금과 후추로 간을 한다.
④ 마요네즈
⑤ 발사믹 소스(Balsamic sauce) : 발사믹 식초를 졸여 올리브유와 함께 사용한다.

Chapter 6	샐러드 조리

1. 샐러드의 분류

① 단순 샐러드 : 고전적인 순수 샐러드는 한 가지 채소로만 이루어진 것이었으나 현대에 와서는 재료를 단순하게 구성하여 곁들이는 용도나 세트 메뉴에 코스용으로 사용한다.
② 혼합 샐러드 : 여러 가지 채소와 함께 과일, 생선, 육류, 조류 등이 혼합되어 따로 드레싱을 첨가하지 않고 그대로 제공할 수 있는 완전한 상태인 것을 말한다.
③ 더운 샐러드 : 샐러드 주재료와 드레싱을 따뜻하게 데워 버무려 내는 샐러드이다.

2. 샐러드의 기본재료

(1) 육류(Meat) : 소고기, 돼지고기, 양고기, 햄, 베이컨 등의 육가공품도 많이 사용된다.

① 소고기 : 안심, 등심, 차돌박이
② 돼지고기 : 삼겹살
③ 양고기 : 등심, 갈빗살

(2) 가금류(Poultry) : 닭가슴살, 닭다리살, 오리훈제 가슴살

(3) 해산물류(Seafood) : 생선류, 어패류, 갑각류, 연체류 등이 해당하며, 다양하게 쓰인다.

① 흰 살 생선 : 광어, 농어, 도미, 우럭
② 붉은 생선 : 참치, 연어, 훈제연어
③ 어패류 : 가리비, 홍합, 바지락, 대합, 중합, 모시조개
④ 갑각류 : 바닷가재, 새우
⑤ 연체류 : 문어, 낙지, 주꾸미, 오징어, 한치

(4) 채소류(Vegetable) : 채소는 엽채류, 경채류, 근채류, 과채류, 종실류, 화채류, 새싹류, 허브류로 나뉜다.

3. 드레싱의 종류

(1) 차가운 소스

① 비네그레트 : 기름과 식초를 주재료로 한 드레싱, 발사믹 비네그레트, 레드와인 비네그레트
② 마요네즈

(2) 유제품 소스 : 샐러드드레싱과 디핑 소스로 사용됨. 허브크림 드레싱

(3) 살사 · 쿨리 · 퓌레 소스

4. 샐러드 담기

① 채소의 수분은 반드시 제거한다.
② 주재료와 부재료의 크기, 모양, 색상을 겹치지 않게 준비한다.
③ 드레싱의 양이 샐러드의 양보다 많지 않게 한다.
④ 드레싱의 농도는 너무 묽지 않게 하고 제공할 때 뿌리는 것을 원칙으로 한다.
⑤ 한 번 사용한 가니쉬는 반복해서 사용하지 않는다.

Chapter 7 ｜ 파스타 조리

1. 파스타의 종류

① 건면 파스타 : 저장성을 높이기 위하여 파스타를 만들어 건조시켜 사용하며 탄력있는 식감을 갖는다.
② 생면 파스타 : 세몰리나에 밀가루를 섞어 만들거나 강력분과 달걀을 이용해 만들기도 한다. 건조 파스타에 비해 신선하고 부드러운 식감을 갖고 있다.

2. 파스타 소스

① 토마토 소스 : 신선하고 높은 당도와 농축된 감칠맛을 가진 토마토를 선별해 조리한다.
② 볼로네즈 소스 : 볼로냐식 라구 소스로 알려져 있는 이탈리아식 미트소스이다. 토마토와 재료를 넣고 오랜 시간 진한 맛이 날 때까지 끓인다.
③ 크림 소스 : 밀가루, 버터, 우유를 주재료로 만든 소스로 치즈와 크림 등을 첨가하여 파생 소스를 만들기도 한다.
④ 조개육수 소스 : 바지락, 모시조개, 홍합 등으로 풍미를 살려 해산물 파스타를 만든다.

3. 파스타 삶기

① 파스타를 삶는 냄비는 깊이가 있어야 하며 물은 파스타 양의 10배 정도가 적당하다.
② 파스타를 삶을 때 약간의 소금 첨가는 파스타의 풍미를 살리고 면에 탄력을 준다.
③ 알덴테는 입안에서 씹히는 정도가 느껴질 정도로 삶는 것을 말한다.
④ 파스타의 면수는 버리지 말고 파스타 소스의 농도를 잡아주거나 올리브유와 분리되지 않고 유화될 수 있도록 사용한다.

4. 파스타에 어울리는 소스

① 가늘고 긴 파스타 : 토마토 소스나 올리브유를 이용한 가벼운 소스가 잘 어울린다.
② 넓고 긴 파스타 : 표면적이 넓은 면에 잘 흡수되는 진한 소스인 파마산 치즈, 버터, 크림 소스가 어울린다.
③ 짧은 파스타 : 가벼운 소스와 진한 소스 모두 어울린다.
④ 짧고 작은 파스타 : 샐러드, 수프와 잘 어울린다.

Chapter 8 ｜ 샌드위치 조리

1. 샌드위치 종류

(1) 온도에 따른 구분

① 콜드 샌드위치 : 클럽 샌드위치, 서브마린 샌드위치, BLT샌드위치
② 핫 샌드위치 : 루벤 샌드위치, 몬테크리스토, 크로크무슈

(2) 형태에 따라 분류

① 오픈 샌드위치 : 오픈 샌드위치, 브루스케타, 카나페 등
② 클로즈드 샌드위치 : 얇게 썬 빵 사이에 속재료를 넣고 덮는 형태의 샌드위치
③ 클럽 샌드위치 : 3장의 구운 식빵 사이에 2단으로 내용물을 넣어 만든 샌드위치로 더블데커라고도 부른다.
④ 롤 샌드위치 : 넓고 납작하게 만든 빵에 크림치즈, 게살, 훈제 연어, 참치를 넣고 둥글게 말아 썰어 제공하는 형태의 샌드위치이다.

2. 샌드위치 구성 요소

① 빵 : 샌드위치용 빵은 단맛이 덜한 것으로 식빵, 포카치아, 바게트, 햄버거번, 치아바타, 크루아상, 베이글 등이 있다.
② 스프레드(Spread) : 스프레드는 빵이 눅눅해지는 것을 방지하는 코팅제 역할과 접착제 역할을 하고, 빵과 속재료, 가니쉬의 맛이 잘 어울리게 한다.
③ 속재료 : 샌드위치의 맛을 구성하는 가장 중요한 요인이다.
④ 가니쉬 : 샌드위치의 완성도에 영향을 미치는 요소로 필수적이라 할 수 있다.
⑤ 소스 & 드레싱 : 음식에 짠맛, 단맛, 신맛, 쓴맛, 매운맛을 통해 개성 있는 표현을 하는 요인이다.

3. 샌드위치 스프레드의 종류

(1) Simple spread : 재료 본래의 맛을 가진 재료로 마요네즈, 잼, 버터, 머스터드, 크림치즈, 리코타 치즈, 발사믹 크림, 땅콩버터 등이다.

(2) Compound spread

① 버터 또는 마요네즈를 기본으로 한(머스터드 + 마요네즈, 앤초비 + 버터 또는 마요네즈, 바질 + 사워크림 + 마요네즈, 레몬즙 + 버터)
② 유제품을 기본으로 한 허브 크림치즈 스프레드
③ 올리브오일을 기본으로 한 바질 페이스트 스프레드

Chapter 9 디저트 조리

1. 디저트 분류

(1) 콜드 디저트

① 무스(Mousse) : 콜드 디저트의 가장 기본이 되는 무스는 프랑스어로 거품을 뜻하며, 크게 세 가지 종류로 나뉜다. 달걀흰자와 설탕으로 만든 머랭에 과일 퓌레를 섞어 만드는 방법, 노른자와 설탕으로 거품을 올려 우유, 과즙과 리큐르를 섞어 만드는 방법, 초콜릿을 기본으로 생크림과 흰자, 노른자 등의 거품을 섞어 만드는 초콜릿 무스로 구분한다.

② 젤리(Jelly) : 젤리는 과일 주스나 우유에 설탕, 술 등을 넣어 굳히는 제품으로 젤라틴 젤리, 펙틴 젤리, 한천 젤리 등으로 나눈다. 액체의 투명함과 청량감은 산뜻하고 상쾌해서 기름진 요리를 먹은 뒤에 잘 어울리는 디저트이다.

③ 바바루아(Bavarois) : 우유, 설탕, 달걀, 젤라틴, 휘핑크림 등을 혼합하여 굳혀먹는 푸딩인 바바루아는 독일에서 유래되었다. 무스보다는 덜 부드럽지만 커스터드 소스나 앙글레이즈와 휘핑크림, 젤라틴을 섞어 바바루아 크림을 만들고, 과일 퓌레, 리큐어, 초콜릿, 너트 등과 함께 사용하며, 패스트리나 케이크의 필링으로도 사용된다.

④ 샤를로트(Charlotte) : 레이디 핑거, 제누아즈, 비스퀴아라퀴예 등을 이용하여 케이크 틀의 내부에 돌려 다양한 모양으로 응용하여 만들고 무스, 크림, 퓌레, 바바루아 크림을 채워 차갑게 굳혀서 사용한다.

⑤ 과일 콤포트(Fruit comport) : 과일을 적당한 크기로 자른 후 시럽, 바닐라, 오렌지, 레몬, 시나몬 스틱 등을 넣고 삶아 차갑게 식혀 먹는 디저트다. 오렌지, 사과, 살구, 자두 등을 많이 사용한다.

(2) 핫 디저트

① 오븐에 굽는 방법 : 그라탕(Gratin)
② 물이나 우유에 찌거나 삶아 내는 방법 : 수플레
③ 기름에 튀기거나 굽는 방법 : 베녜(Beignets), 크레이프(Crepe)
④ 알코올 플람베(Flamb)

(3) 얼린 디저트

① 아이스크림류(Ice cream) : 프랑스에서는 글라세(Glac), 이탈리아에서는 젤라토(Gelato)로 불린다.
② 셔벗류(Sherbet) : 과즙에 물, 설탕 등을 넣고 얼린 빙과로 프랑스어로는 소르베(sorbet)라고 하며 메인요리 사이에 제공되기도 한다.
③ 파르페(Parfait) : 달걀노른자와 설탕을 휘핑하여 냉각시키고, 머랭과 생크림을 혼합하여 과일과 술 등을 섞어 형태로 만들어 얼려 사용한다.
④ 그라니타(Granita) : 그라니타는 라임, 레몬, 자몽 등의 과일에 설탕, 와인, 샴페인을 넣고 얼린 이탈리아식 얼음과자로 반짝거리는 화강암(Granite)을 닮았다고 해서 붙여진 이름이다. 프랑스의 소르베(Sorbet)는 당도가 높고 입자가 고운 반면에 그라니타는 신맛과 톡 쏘는 맛이 강하고 입자가 거칠다.
⑤ 카사타(Cassata) : 카사타 젤라타(Cassata gelata)라는 주형틀에 대비되는 색깔의 아이스크림을 층으로 나누는데 그 안에 견과류, 아이스크림, 설탕조림 과일, 초콜릿 등으로 혼합물을 채워서 얼려 내는 이탈리아의 대표적인 디저트이다.

Chapter 10 연 회

(1) 리셉션(reception) : 초대 연회, 축하 연회 등 기념을 위한 공식적인 모임을 뜻하며 화려하고 고급스러운 상차림을 연출한다.

(2) 칵테일 리셉션 : 뷔페 종류 중 가장 형식이 자유롭고 경제적인 연회로 테이블과 의자가 없이 와인, 음료, 칵테일과 핑거 푸드 형태로 제공되는 것이 일반적이다. 종류로는 차가운 카나페인 치즈, 콜드컷, 올리브, 견과류, 핑거 샌드위치, 훈제 음식 등을 이용한 것으로 구성된다.

(3) Cold buffet : 여름이나 무도회 때 간단하게 차려지는 뷔페로서 요리의 내용과 양이 제한되고, 샴페인, 와인, 맥주, 탄산수 등의 음료와 그에 어울리는 음식 위주로 뷔페가 구성된다.

(4) Standing buffet : 스탠딩 뷔페는 연회장 행사에서 많이 볼 수 있는 뷔페 형태로 양식, 한식, 중식, 일식 등이 함께 곁들어진다. 나이프는 사용하지 않고 포크로만 사용하여 음식을 먹는 것이 특징이다. 국물이 있거나 한 입에 먹을 수 없는 요리는 적당하지 않으며 연회 메뉴보다는 단조롭고 간단하다.

(5) 스페셜 리셉션 : 일반 연회와는 다르게 성격이 확연히 드러나는 연회를 말한다. 할러윈(Holloween day), 크리스마스(Christmas), 추수감사절(Thanksgiving day)과 같은 것으로 행사에 어울리는 메뉴와 스타일링이 필요하다.

2

양식조리기능사 필기시험 총정리

예상출제문제편

01 인도, 스페인 등지에서 대표적으로 쓰이는 향신료 중 꽃에서 채취하는 가장 값비싼 향신료로 음식의 노란색을 나타내는 것은?

① 로즈마리   ② 바질
③ 아티초크   ④ 샤프란

[해설] 샤프란은 세계에서 가장 비싼 향신료 중의 하나다. 1kg의 샤프란을 얻으려면 수작업으로 16만 송이의 꽃이 필요하다.

02 멕시코 요리의 3대 재료가 아닌 것은?

① 옥수수   ② 콩
③ 귀리   ④ 고추

[해설] 멕시코 요리의 3대 재료는 옥수수, 콩, 고추이다.

03 다음 중 향신료에 대한 설명으로 맞지 않는 것은?

① 라틴어의 '약품'이라는 의미에서 유래되었다.
② 100% 식물의 꽃, 열매, 씨앗, 뿌리, 껍질로 이루어진다.
③ 고추, 마늘, 참깨, 생강은 향신료로 보기 어렵다.
④ 향신료는 열대, 아열대 기후에서 잘 자란다.

04 양식 상차림(테이블 세팅)의 구성요소로 맞지 않는 것은?

① 글라스 웨어   ② 식전주(아페리티브)
③ 린넨   ④ 센터피스

[해설] 테이블 세팅의 구성요소는 린넨, 글라스웨어, 디너웨어, 커트러리, 센터피스, 피규어 등이다.

05 미르포아(Mirepoix)의 재료는?

① 마늘, 생강, 대파   ② 셀러리, 양파, 팔각
③ 셀러리, 당근, 양파   ④ 고추, 후추, 마늘

[해설] 스톡의 향미를 내는데 필요한 재료로 셀러리, 당근, 양파, 월계수잎 등을 사용한다.

06 세계 3대 수프가 아닌 것은?

① 미네스트로네   ② 똠양꿍
③ 샥스핀   ④ 부이야베스

[해설] 미네스트로네는 이탈리아의 대표적인 채소 수프이다.

07 재료를 얇게 써는 방법으로 바토네, 쥘리엔 등을 써는 초기 작업에 쓰이기도 하는 것은?

① 브뤼누아즈(Brunoise)   ② 찹(Chop)
③ 슬라이스(Slice)   ④ 콩카세(Concasse)

[해설] 슬라이스(Slice) : 기본적으로 재료를 얇게 썬 것을 뜻한다.

08 스테이크의 익힘 정도에 따른 올바른 순서는?

① 레어 – 미디엄레어 – 미디엄 – 웰던 – 미디엄웰던
② 웰던 – 미디엄웰던 – 레어 – 미디엄레어 – 미디엄
③ 웰던 – 미디엄웰던 – 미디엄레어 – 미디엄 – 레어
④ 레어 – 미디엄레어 – 미디엄 – 미디엄웰던 – 웰던

[해설] 레어 – 미디엄레어 – 미디엄 – 미디엄웰던 – 웰던의 순서로 익힘의 정도를 표시한다.

09 타르타르소스의 재료로 적당하지 않은 것은?

① 양파, 레몬, 파슬리, 식초
② 파슬리찹, 달걀, 흰 후춧가루
③ 오이피클, 양파, 달걀, 마요네즈
④ 핫소스, 양파, 케찹, 마요네즈

10 커피의 본질을 아는 사람을 위한 커피로 작은 양을 "데미타스잔"에 담아 마시는 커피를 무엇이라 하는가?

① 아메리카노   ② 에스프레소
③ 프라푸치노   ④ 카페라떼

[해설] 에스프레소 : 높은 압력으로 짧은 순간에 커피를 추출하는 진한 이탈리아식 커피이다. 데미타스라는 조그만 잔에 담아서 마셔야 제 맛을 느낄 수 있다.

11 루(Roux)를 만드는 방법으로 옳은 것은?

① 밀가루에 육수를 넣어 만든다.
② 밀가루에 달걀을 넣어 휘핑한다.
③ 밀가루에 버터를 넣고 볶는다.
④ 밀가루에 우유를 넣어 만든다.

[해설] 루(Roux) : 서양요리의 대표적인 소스 농후제로서 팬에 버터와 밀가루를 동량으로 넣고 볶아낸 것을 말한다.

12 다음의 도구 중 설명이 잘못된 것은?

① 베지터블 필러 : 오이 당근 등의 채소류 껍질을 벗기는 도구이다.
② 위스크 : 크림을 휘핑하거나 계란 등을 섞을 때 사용한다.
③ 블렌더 : 소스나 드레싱용으로 음식물을 가는 데 사용한다.
④ 민서 : 샌드위치용 빵을 구워 준다.

[해설] 민서(Mincer) : 고기나 채소를 갈 때 사용하기도 하고 원하는 형태로 틀을 갈아 끼울 수 있다.

13 다음의 토마토 소스 중 성격이 다른 것은?

① 토마토 쿨리   ② 토마토 페이스트
③ 토마토 홀   ④ 토마토 퓌레

[해설] 토마토 쿨리는 토마토 퓌레에 향신료를 가미한 것이다.
※ 토마토 홀, 토마토 퓌레, 토마토 페이스트는 조미료 첨가없이 농축하거나 파쇄한 것이다.

14 소스의 올바른 역할이 아닌 것은?

① 소스는 주재료의 맛을 더 좋게 만들 수 있어야 한다.

② 색감을 내기 위해 곁들여 주는 소스는 색이 변질되면 안 된다.

③ 튀김 종류의 소스는 버무려서 시간을 두고 제공하면 깊은 맛이 튀김에 잘 어우러진다.

④ 질 좋은 고기를 사용할 경우 맛에 방해될 수 있으므로 많은 양의 소스를 제공하지 않는다.

[해설] 튀김 종류의 소스는 눅눅해지지 않도록 제공 직전 뿌려주어야 한다.

15 수프를 구성하는 요소를 잘못 설명한 것은?

① 루(Roux) : 농도를 조절하는 농후제 역할을 한다.

② 스톡 : 수프의 가장 기본이 되는 요소다.

③ 향신료 : 병증에 좋은 치료제의 역할로 식욕을 촉진시킨다.

④ 가니쉬 : 수프의 맛을 증가시켜주는 역할을 한다.

[해설] 향신료 : 음식에 풍미를 더해 식욕을 촉진시키고 방부작용과 보존성을 줄 수 있다. 서양 요리에선 빠질 수 없는 식재료이다.

16 전채 요리의 재료에서 생선류로 만든 것이 아닌 것은?

① 튜나 타르타르 ② 살몬 세비체

③ 쉬림프 칵테일 ④ 프로슈토 디 파르마

[해설] 프로슈토 디 파르마는 돼지뒷다리를 소금에 말린 생햄으로 이탈리아의 파르마 지방 프로슈토를 최고의 것으로 꼽는다.

17 다음 서양의 아침 식사에 대한 설명으로 맞지 않는 것은?

① 서양의 아침식사에서는 달걀 요리를 많이 사용하는 편이다.

② 미국식 아침 식사는 조식용 빵, 커피, 주스, 달걀요리 외에 감자, 햄, 베이컨, 소시지가 취향에 따라 제공된다.

③ 영국식 아침 식사는 유럽식과 미국식의 중간 정도의 차림으로 아침을 먹는다.

④ 유럽식 아침 식사는 주스류와 조식용 빵, 커피, 홍차로 간단하게 구성된다.

[해설] 영국식 아침 식사는 빵과 주스, 달걀, 감자, 육류 요리, 생선 요리가 제공되며, 조식 요리 중 가장 많은 종류와 양으로 무겁게 느껴진다.

18 전채 요리에 속하는 메뉴로 알맞은 것은?

① 클럽 샌드위치, 솔모르네

② 크렘 브륄레, 치킨 커틀렛

③ 비프스튜, 스패니쉬 오믈렛

④ 쉬림프 카나페, 참치 타르타르

[해설] 전채 요리란 주 요리 전에 나오는 소량의 음식으로 식욕을 돋울 수 있어야 한다.

19 식용유와 식초, 소금을 넣고 빠르게 저어 일시적인 유화 상태를 만드는 드레싱은?

① 마요네즈 소스 ② 비네그레트 소스

③ 홀랜다이즈 소스 ④ 사워크림 소스

[해설] 비네그레트 소스는 유화 소스의 하나로 식초나 레몬즙과 오일을 섞은 불안정한 혼합물이다. 레드와인 비네그레트, 발사믹 비네그레트 등이 있다.

20 다음 조리법 중 기름에 튀겨 내는 조리법은?

① Grilling ② Roasting

③ Steaming ④ Deep Frying

[해설] – Grilling : 가열된 금속 표면에 굽는 방법
– Roasting : 육류 또는 가금류 등을 통째로 오븐에서 굽는 방법
– Steaming : 찜통에서 음식을 쪄내는 요리 방법

21 식이섬유가 풍부한 귀리를 볶은 후 납작하게 눌러 우유 또는 육수를 넣고 조리해서 먹는 음식은?

① 콘플레이크(Corn Flakes)

② 라이스크리스피(Rice krispy)

③ 오트밀(Oatmeal)

④ 그래놀라(Granola)

[해설] – 콘플레이크(Corn Flakes) : 옥수수를 눌러 바삭바삭하게 말린 것으로 시리얼(Cereal) 종류
– 라이스크리스피(Rice krispy) : 쌀을 익혀서 건조한 후 바삭하게 튀긴 시리얼
– 그래놀라(Granola) : 곡류, 말린 과일, 견과류 등을 설탕이나 꿀, 오일과 함께 오븐에 구워낸 시리얼

22 다음은 프랑스의 어떤 디저트에 대한 설명인가?

> "프랑스어로 1,000겹 또는 1,000개의 잎이라는 뜻으로 퍼프 패스트리를 구워 낸 후 퍼프 패스트리 사이에 크림이나 잼 등의 필링을 번갈아 가며 포개 넣어 만든다."

① 밀푀유 ② 크렘 브륄레

③ 에끌레르 ④ 몽블랑

23 다음 중 맞게 연결된 것은?

① 박력분 – 단백질(8~9%) – 바삭한 식감으로 과자 등에 적당하다.

② 강력분 – 단백질(11% 이상) – 부드러운 식감으로 케이크에 적당하다.

③ 세몰리나 – 단백질(13% 이상) – 글루텐 함량이 높아 제빵에 사용된다.

④ 경질밀은 조직이 부드럽고 단면이 치밀하여 케이크, 쿠키에 많이 사용된다.

[해설] 박력분은 글루텐 형성 능력이 낮아서 과자, 케이크 등으로 적당하다.

24 라드의 대용품으로 수소를 첨가, 제조하여 만들며 크리밍파워가 크고 파이나 페이스트리 등을 만드는데 효과적인 유지류는?

① 쇼트닝 ② 마가린

③ 버터 ④ 사워크림

25 다음의 치즈 중 초경질 치즈인 것은?

① 모짜렐라 치즈

② 고르곤졸라 치즈

③ 에멘탈 치즈

④ 파르미지아노 레지아노(파마산 치즈)

[해설] 파마산 치즈는 조직이 단단하고 작은 알갱이가 포함되어 있다.

26 수프에 대한 설명이 맞지 않은 것은?

① 미네스트로네 – 베이컨, 양파, 셀러리, 당근, 감자, 토마토 페이스트를 볶아 스톡에 넣은 후 향료를 첨가하여 끓인 야채 수프

② 콩소메 – 고기와 채소를 푹 고아 진하게 우려낸 걸쭉한 수프

③ 차우더 – 생선, 조개, 감자와 우유나 크림을 이용한 걸쭉한 수프

④ 가스파쵸 – 토마토, 피망, 오이, 빵, 올리브 오일, 식초, 얼음물을 함께 갈아 차게 먹는 야채 수프

[해설] 콩소메 : 고기와 채소를 푹 고아 진하게 우려낸 후 맑게 걸러낸 수프이다.

27 파스타를 삶을 때 적당한 방법이 아닌 것은?

① 파스타 100g에 물 1L 정도가 적당하다.

② 알덴테(Al dente)는 파스타 속의 심이 남아 있는 상태로 삶는 정도다.

③ 파스타를 삶을 때 약간의 소금은 면에 간을 해서 맛이 좋게 된다.

④ 파스타 면이 달라붙지 않게 올리브오일을 듬뿍 넣어준다.

[해설] 오일을 넣으면 파스타에 남아서 소스가 흡수되는 것을 방해할 수 있다.

28 샌드위치용 빵으로 적당하지 않은 것은?

① 식빵, 포카치아
② 베이글, 햄버거번
③ 모카빵, 페이스트리
④ 치아바타, 바게트

[해설] 모카빵의 경우 겉면에 비스킷을 씌우기 때문에 샌드위치를 만들기에 적당하지 않다.

29 양식 조리에서 자르거나 가는 용도로 사용하지 않는 도구는?

① 에그 커터(Egg cutter)
② 래들(Ladle)
③ 제스터(Zester)
④ 커터(Assorted cutter)

[해설] 래들(Ladle)은 국자형태로 육수나 소스 등을 뜰 때 사용하는 도구이다.

30 다음 중 올바른 계량 단위는?

① 1ts – 1테이블스푼
② 1Ts – 15㎖
③ 0.5L – 5000㎖
④ 1c – 240㎖

31 스톡 조리법으로 맞지 않는 것은?

① 센 불에서 물이 끓으면 재료를 넣고 불을 줄인다.

② 스톡의 온도가 섭씨 약 90℃를 유지하도록 은근히 끓여준다.

③ 스톡에는 소금 등의 간을 하지 않는다.

④ 거품 및 불순물은 스키머(skimmer)로 제거해 주어야 한다.

[해설] 뜨거운 물에 재료를 넣게 되면 불순물이 빨리 굳어지고 맛이 우러나지 못한다.

32 소고기 부위 중 스테이크로 사용할 수 없는 것은?

① 등심
② 갈비
③ 목심
④ 양지

[해설] 양지부위는 질기기 때문에 콘비프나 스튜처럼 오래 끓여야 한다.

33 진공 저온 조리법으로 밀폐된 진공상태의 비닐 속에 재료를 넣고 오랜 시간 조리하여 음식물의 수분이 유지되는 조리법은?

① 수비드
② 스튜잉
③ 스티밍
④ 블레이징

34 육류 요리의 플레이팅 시 필요한 구성 요소가 아닌 것은?

① 탄수화물 파트
② 단백질 파트
③ 지질 파트
④ 소스 파트

[해설] 육류 요리의 플레이팅 요소는 탄수화물, 단백질, 소스, 비타민, 가니쉬 파트가 있다.

35 크림 파스타를 만들 때 토마토 소스를 넣게 되면 응고현상이 일어난다. 그 이유로 옳은 것은?

① 염에 의한 응고
② 효소적 응고현상
③ 산에 의한 응고
④ 당화 현상

[해설] 토마토의 유기산이 우유의 카세인 단백질을 응고 시키게 된다.

36 달걀의 한쪽 면만 익힌 것으로 달걀 노른자가 떠오르는 태양과 같다고 해서 붙여진 이름을 가진 요리명은?

① 서니 사이드 업
② 오버 이지
③ 오믈렛
④ 오버 미디엄

37 디저트의 3요소가 아닌 것은?

① 감미
② 과일
③ 풍미
④ 향신료

[해설] 디저트의 3요소는 감미, 풍미, 과일로 이루어진다.

38 다음 중 핑거푸드에 들어가지 않는 메뉴는?

① 쿠키
② 핫도그
③ 춘권
④ 피자

[해설] 쿠키는 손으로 먹지만, 핑거푸드류에서는 제외된다.

39 다음 중 접시 사이즈가 가장 큰 것은?

① 위치 접시
② 빵 접시
③ 디너 접시
④ 디저트 접시

[해설] 위치 접시 : 착석 전에 자리에 세팅되어 있는 접시로 지름은 30~32㎝ 크기로 화려하다.

40 외식 산업에서 메뉴를 기획할 때 고려의 대상이 아닌 것은?

① 주변 환경을 분석한다.

② 원가와 수익성 관계를 확인한다.

③ 독창성보다는 사회적으로 성공한 메뉴를 구성한다.

④ 식재료의 지속적이고 원활한 공급이 가능한지 파악한다.

[해설] 독창성이 보여지는 메뉴를 구성한다.

41 튀김옷에 대한 설명으로 잘못된 것은?

① 글루텐의 함량이 많은 강력분을 사용하면 튀김내부에서 수분이 증발되지 못하므로 바삭하게 튀겨지지 않는다.

② 달걀을 넣으면 달걀 단백질이 열 응고됨으로써 수분을 방출하므로 튀김이 바삭하게 튀겨진다.

③ 식소다를 소량 넣으면 가열 중 이산화탄소를 발생함과 동시에 수분도 방출되어 튀김이 바삭해진다.

④ 튀김옷에 사용하는 물의 온도는 실온으로 해야 튀김옷의 점도를 높여 내용물을 잘 감싸고 바삭해진다.

[해설] 낮은 온도의 물이나 얼음물로 해야 글루텐 형성을 억제하여 바삭한 튀김이 된다.

42 다음 중 수프의 종류가 다른 것은?

① 콩소메
② 포타주
③ 차우더
④ 크림 수프

[해설] 콩소메 : 소, 닭, 생선, 채소 등을 오래 끓여 맑게 우려낸 수프

43 육류의 마리네이드 방법 중 액체 마리네이드가 아닌 것은?

① 올리브유
② 식초
③ 와인
④ 향신료

[해설] 고체 마리네이드 : 향신료, 소금, 후추, 생강, 마늘

44 서양식 조식에 흔하게 사용되는 식재료가 아닌 것은?

① 크로와상
② 달걀
③ 주스
④ 훈제오리

[해설] 서양 조식재료는 빵, 시리얼, 우유, 주스, 달걀 등을 사용한다.

45 올리브 열매를 처음 압착하여 추출한 최상급 품질의 오일은?

① 올리브오일 엑스트라버진
② 버진 올리브오일
③ 퓨어 올리브오일
④ 포마스 올리브오일

[해설] – 버진 올리브오일 : 두 번째 압착한 것
– 퓨어 올리브오일 : 버진 올리브오일과 정제시킨 올리브오일을 혼합, 튀김 등 가열 식품에 사용
– 포마스 올리브오일 : 찌꺼기를 정제, 높은 산도의 낮은 등급 오일로 비누 등의 원료로 사용

46 콩디망(condiment)에 대한 설명으로 맞지 않는 것은?

① 요리에 사용되는 여러 양념을 섞은 것
② 콩디망은 단맛, 짠맛, 신맛, 쓴맛, 매운맛, 떫은맛, 감칠맛 등이 있다.
③ 음식을 만드는 방법 중 하나다.
④ 넓은 의미로 토마토케첩, 머스터드 등의 소스와 식용유나 술의 일부까지 포함된다.

[해설] 콩디망은 조미료 또는 향신료로 음식에 사용되는 재료로 이용된다.

47 건열, 습열 조리를 함께 사용하는 조리법으로 주로 결합조직이 많아 질긴 고기류를 조리할 때 이용하는 조리법은?

① 로스팅
② 브레이징
③ 스튜
④ 블랜칭

[해설] 브레이징 : 채소, 고기를 볶은 다음 물을 조금 넣고 천천히 익히는 것으로 우리나라의 찜과 비슷한 조리법이다.

48 칼로 재료를 잘게 다지듯이 써는 것은?

① 찹
② 다이스
③ 쥘리엔느
④ 크루통

[해설] – 다이스 : 주사위 모양으로 써는 것
– 쥘리엔느 : 막대 모양으로 써는 것
– 크루통 : 오븐이나 프라이어에서 황갈색으로 구운 사각형의 작은 빵조각

49 샌드위치의 스프레드가 하는 역할로 적당하지 않은 것은?

① 샌드위치가 납작해지지 않도록 모양을 잡아준다.
② 빵과 속 재료를 접착하게 한다.
③ 빵이 눅눅해지지 않게 한다.
④ 샌드위치의 맛을 좋게 한다.

50 피쉬 앤 칩스의 생선튀김 온도로 적당한 것은?

① 200℃ 7~8분
② 180℃ 3~4분
③ 160℃ 6~7분
④ 140℃ 8~9분

[해설] 튀김옷을 입힌 생선류의 경우 180℃ 정도에서 3~4분 정도가 적당하다.

51 스톡을 만들 때 물의 양은 어느 정도가 적당한가?

① 냄비의 중간 정도
② 재료무게의 반 정도
③ 재료가 잠길 정도
④ 물의 양은 중요하지 않다.

[해설] 육수를 낼 때의 물의 양은 재료가 잠길 정도로 충분한 것이 좋다.

52 달걀의 특성을 이용한 음식의 연결이 맞지 않는 것은?

① 간섭성 – 콩소메
② 응고성 – 푸딩
③ 유화성 – 마요네즈
④ 기포성 – 쉬폰 케이크

[해설] 콩소메 수프를 맑게 하는 것은 청정제 역할이고 간섭성은 캔디를 만들 때 결정체 형성을 방해하는 것

53 과일 잼을 만들 때 겔화에 관계하는 요소가 아닌 것은?

① 산
② 설탕
③ 펙틴
④ 소금

54 콩고기를 만들 때 첨가하는 글루텐 단백질을 가장 많이 함유하고 있는 것은?

① 쌀
② 밀
③ 귀리
④ 콩

[해설] 밀가루의 전분 및 기타 성분을 제외한 순수한 밀단백질이 글루텐으로 밀가루에 물을 넣어 반죽하게 되면 글리아딘과 글루테닌이 글루텐이 된다.

55 훈제한 육가공품이 아닌 것은?

① 육포
② 햄
③ 소시지
④ 베이컨

[해설] 육포는 고기를 얇게 저며 양념 후 건조시키는 방법으로 서양의 훈연육가공법 과는 차이가 있다.

56 빵을 구울 때 반죽이 틀에 붙지 않고 분할이 잘 되도록 사용하는 첨가물은?

① 유화제
② 피막제
③ 이형제
④ 보존제

[해설] 이형제 : 빵의 식품제조 시 형태를 유지하기 위해 사용되는 식품첨가물로 반죽하는 원료가 용기에 달라붙어 제대로 구워지지 않거나 발효 시 가스 형성이 불균일할 경우를 방지하기 위하여 첨가된다.

57 우유의 카세인은 다음 중 어느 것인가?

① 당단백질　　　　　② 지단백질
③ 조단백질　　　　　④ 인단백질

[해설] 단순단백질에 인산이 공유결합을 한 복합단백질로 젖에 함유된 카세인과 달걀노른자에 있는 비텔린 등이 대표적이다.

58 다음 중 생으로 먹는 것보다 기름에 볶는 조리법이 영양상 좋은 식품은?

① 고구마　　　　　② 당근
③ 오이　　　　　④ 무

[해설] 당근의 베타카로틴 성분은 지용성으로 기름과 함께 먹게 되면 흡수율이 좋아진다.

59 다음 중 폐기율이 가장 높은 것은?

① 달걀　　　　　② 백미
③ 생선　　　　　④ 돼지고기

[해설] – 생선 : 38%
　　　 – 난류 : 13%
　　　 – 백미 : 0%
　　　 – 돼지고기(살코기) : 0%

60 불쾌취를 제거하기 위해 사용하는 향신료가 아닌 것은?

① 육두구　　　　　② 마늘
③ 생강　　　　　④ 월계수잎

[해설] 육두구는 빵, 육류요리에 사용되는 향미료이다.

01 다음 중 단백질 변성에 의한 응고작용이 일어나지 않은 것은?

① 치즈 가공　　　　　② 두부 제조
③ 달걀 삶기　　　　　④ 딸기잼 제조

[해설] 딸기잼 제조는 펙틴, 유기산, 당에 의한 겔화이다.

02 정육면체로 사방 2cm의 크기를 말하며 스튜나 샐러드 조리에 사용하는 양식 썰기는 어떤 썰기를 말하는 것인가?

① 큐브(Cube)　　　　② 다이스(Dice)
③ 쥘리엔(Julienne)　④ 슬라이스(Slice)

03 다음 중 사용 용도가 다른 것은?

① 샐러맨더(Salamander)
② 샌드위치 메이커(Sandwich maker)
③ 스팀 케틀(Steam kettle)
④ 그릴(Grill)

[해설] 스팀 케틀(Steam kettle)은 대용량의 음식물을 끓이거나 삶는 데 사용한다.

04 육류. 어류와 함께 향신채소나 향신료를 넣고 풍미가 있는 육수를 내는 것으로 수프나 소스의 기초가 되는 것은?

① 루(Roux)　　　　　② 뵈르 마니에(Beurre Manie)
③ 스톡(stock)　　　　④ 미르포아(Mirepoix)

05 일반적으로 부케가르니(Bouquet garni)에 들어가는 재료가 아닌 것은?

① 통후추　　　　　　② 파슬리 줄기
③ 월계수잎　　　　　④ 생강

[해설] 일반적으로 부케가르니에는 파슬리, 월계수잎, 정향, 타임, 로즈메리 등의 향신료와 통후추, 셀러리 등의 향신 채소를 실로 묶거나 고정하여 사용한다.

06 다음 중 농후제로 맞지 않는 것은?

① 전분　　　　　　　② 스톡
③ 달걀　　　　　　　④ 버터

[해설] 스톡은 맑은 육수로 농도 조절이 가능하지 않다.

07 전채요리가 아닌 것은?

① 오르되브르　　　　② 칵테일
③ 수플레　　　　　　④ 렐리시

[해설] 수플레는 달걀의 흰자에 우유를 섞어 거품을 일게 하여 구워 만든 디저트 음식이다.

08 다음 치즈들 중 성격이 다른 것은?

① 그라나 파다노　　　② 체다 슬라이스
③ 파르미지아노 레지아노　④ 고르곤졸라

[해설] 체다 슬라이스 치즈는 가공된 치즈다.

09 샌드위치를 형태에 따라 분류했다. 분류 형태가 다른 것은?

① 오픈 샌드위치　　　② 콜드 샌드위치
③ 롤 샌드위치　　　　④ 클럽 샌드위치

[해설] 콜드 샌드위치는 샌드위치의 온도에 따라 구분한 것이다.

10 런천(Luncheon)을 제대로 설명한 것은?

① 늦은 저녁 식사를 말한다.
② 모임 또는 행사 후 가볍게 먹을 수 있는 것으로 2, 3가지 코스로 구성한다.
③ 격식을 차린 점심 식사를 말한다.
④ 특별히 소화가 용이한 재료와 조리법을 선택하도록 한다.

[해설] 오찬이라고 하며 손님을 초대하거나 모임의 형식으로 차리는 경우가 많다.

11 다음 중 콜드 디저트가 아닌 것은?

① 무스(Mousse)　　　② 젤리(Jelly)
③ 그라탕(Gratin)　　　④ 과일 콤포트(Fruit comport)

[해설] 그라탕(Gratin)은 핫 디저트에 속한다.

12 다음 디저트에서 코크(Coque), 피에(Pied), 필링(Filling)으로 각각의 이름이 있는 것은?

① 몽블랑　　　　　　② 마카롱
③ 밀푀유　　　　　　④ 에클레르

[해설] 마카롱으로 코크는 껍질을 의미하며 크림을 뺀 쿠키 부분이다. 피에는 발을 의미하며 코크에서 아랫부분의 레이스 부분이다. 필링은 코크 사이에 들어가는 크림을 말하며, 마카롱의 맛을 좌우하는 중요한 부분이다.

13 과거에는 보존을 위해 육류와 양념을 항아리에 넣어 두거나 그 상태로 파는 것을 일컬었으나 현대에서는 각종 케이스에 담아 찐 후 제공하는 것을 뜻하는 조리법은?

① 파테　　　　　　　② 갈라틴
③ 룰라드　　　　　　④ 테린

[해설] ① 파테(pㅏt) - 페이스트리 반죽으로 만든 파이 크러스트에 고기, 생선, 채소 등을 갈아 만든 소를 채운 후 오븐에 구운 프랑스 요리이다.
② 갈라틴 - 전통 프랑스 요리로 랩이나 면보에 가금류와 육류, 생선의 뼈를 제거한 다음 넓게 펴서 같은 돼지고기, 채소 등을 넣고 둥글게 말아스톡에서 부드럽게 익혀 차갑게 먹는 애피타이저를 말한다.
③ 룰라드 - 육류, 가금류, 생선류 등을 조리과정에서 둥글게 말아 만들어진 요리에 붙이는 용어이다.

14 스터프드 에그, 앙금케이크, 마카롱 등을 만들 때 반드시 필요한 조리도구는?

① 쿠키커터　　　　　② 짤주머니
③ 스텐볼　　　　　　④ 고운체

15 동결건조로 제조되는 식품은?

① 당면　　　　　　　② 분유
③ 분당　　　　　　　④ 와플

[해설] - 동결건조 : 식품의 원형 또는 분말 형태를 건조시키기 위해 사용하는 방법
으로 동결시킨 후에 기압을 낮춰서 고체 상태의 얼음이 기체로 승화할
수 있도록 한다.
- 분유 : 분무건조법으로 생산한다.

16 식품의 냄새 성분과 소재식품의 연결이 잘못된 것은?

① 멘톨(menthol) - 박하
② 미르신(myrcene) - 미나리
③ 메틸메르캅탄(methyl mercaptan) - 생강
④ 푸르푸릴알콜(furfuryl alcohol) - 커피

[해설] · 메틸메르캅탄 - 무
· 쇼가올(snogaols) - 생강

17 토마토, 오이, 빵, 올리브오일 등을 갈아서 만드는 스페인의 차가운
수프는?

① 가스파초(gazpacho)　　② 퓌레(puree)
③ 비시스와즈(vichyssoise)　　④ 스톡(stock)

[해설] 비시스와즈 - 체에 내린 감자 퓌레와 잘게 썰은 리크(leek) 흰 부분, 치킨
스톡, 크림 등을 넣어 만드는 차가운 수프

18 생선의 훈연 가공에 대한 설명으로 틀린 것은?

① 훈연 특유의 맛과 향을 얻게 된다.
② 생선의 건조가 일어난다.
③ 연기 성분의 살균 작용으로 미생물 증식이 억제된다.
④ 열훈법이 냉훈법보다 제품의 장기 저장이 가능하다.

19 향신료의 꽃을 사용하는 것이 아닌 것은?

① 케이퍼　　② 클로브
③ 샤프론　　④ 스타아니스

[해설] 스타아니스는 적갈색의 별 모양 과실로 중국이 원산지이다.

20 푸드 플레이팅에서 조리사가 음식을 담는 부분은?

① 프레임(Frame)
② 림(Rim)
③ 센터 포인트(Center point)
④ 이너 서클(Inner circle)

[해설] 이너 서클(Inner circle)은 림에서 1~2cm 안쪽으로 상상해서 그린 원형으로
그 안쪽에 식재료와 음식을 담는다.

21 외식 창업의 구성 요소로 맞지 않는 것은?

① 창업 아이디어　　② 창업 자본
③ 창업자　　④ 동업자

[해설] 동업자는 외식 창업의 구성 요소에 포함되지 않는다.

22 다음 중 향신료의 기능에 대한 설명으로 맞지 않는 것은?

① 고대부터 향신료는 각종 질병 치료, 약재로 사용되었다.
② 향신료의 알칼로이드성분은 타액, 소화액 분비를 촉진시킨다.
③ 좋은 향기와 색으로 식욕을 자극한다.
④ 육류와 생선의 냄새 제거에 효과는 있으나 살균, 방부 효과는 거의
없다.

[해설] 식품의 보존성을 높이는 효과로 방부작용 뿐만 아니라 산화 방지에도 도움을
준다.

23 토마토 페이스트에 대한 설명으로 옳은 것은?

① 토마토를 껍질을 벗겨 통조림으로 만든 것
② 토마토를 파쇄하여 조미하지 않고 농축시킨 것
③ 토마토 퓌레에 향신료를 가미한 것
④ 토마토 퓌레를 농축하고 수분을 날린 것

[해설] ① 토마토 홀
② 토마토 퓌레
③ 토마토 쿨리

24 샐러드용 유지류로 적당하지 않은 것은?

① 포도씨유　　② 경화유
③ 올리브유　　④ 채종유

[해설] 경화유는 액상 기름에 수소를 첨가하여 만들어진 기름으로, 상온에서 반고체
또는 고체 상태이다.

25 육류를 연하게 만들기 위해 사용하는 과일의 단백질 분해 효소가
아닌 것은?

① 피신(ficin)　　② 브로멜린(bromelin)
③ 아밀라아제(amylase)　　④ 파파인(papain)

[해설] 아밀라아제는 이자와 침샘에서 소화관 내로 분비되는 것으로 전분을 당으로
분해하는 효소이다.

26 허브(herb)에 대한 설명으로 옳은 것은?

① 식물의 줄기, 잎, 꽃 등을 향미로 이용하는 것
② 식물의 껍질, 뿌리까지 통째로 사용하는 것
③ 식물의 단단한 부분을 가루 내어 사용하는 것
④ 향신채를 반드시 말려서 사용하는 것

27 육류나 생선을 조리 전 간을 맞추고 잡내를 제거하여 맛을 풍부하게
하는 것은?

① 드라이 에이징　　② 마리네이드
③ 숙성　　④ 워터 에이징

[해설] ① 드라이 에이징 - 일정 온도, 습도, 통풍이 유지되는 곳에서 고기를
공기 중에 2~4주간 노출시켜 숙성시키는 건식 숙성 방법
④ 워터 에이징 - 저온의 물속에서 숙성시키는 것

28 스테이크의 익힘 정도 5단계의 순서이다. 괄호 안에 들어갈 단어로
옳은 것은?

( ) - 미디엄 레어 - ( ) - 미디엄 웰던 - ( )

① 미디엄, 웰던, 레어　　② 웰던, 미디엄, 레어
③ 레어, 미디엄, 웰던　　④ 레어, 웰던, 미디엄

29 핑거볼이란?

① 식전, 식후에 손을 씻는 용도
② 식탁의 오른쪽에 위치한다.
③ 식전에 먹을 수 있다.
④ 식사 도중 커트러리를 깨끗하게 씻을 수 있다.

[해설] 식탁의 왼쪽에 두고 꽃잎, 레몬조각 등을 띄우기도 한다.

30 유지류 저장 중 산소, 빛, 열에 노출되어 색, 맛, 냄새 등이 변하게 되는 현상은?

① 부패   ② 변질
③ 발효   ④ 산패

[해설] ① 부패 – 단백질이나 지방 따위의 유기물이 미생물의 작용에 의하여 분해되는 과정
② 변질 – 생체 내의 조직이나 세포가 형태적 · 기능적으로 다른 형(型)의 세포로 변화하는 현상으로 동물에서는 잘 일어나지 않는다.

31 다음 채소류 중 일반적으로 꽃 부분을 식용으로 하는 것과 거리가 먼 것은?

① 브로콜리   ② 콜리플라워
③ 래디시   ④ 아티초크

[해설] 래디시의 붉은 뿌리 부분은 무와 같이 취급한다.

32 서양요리 조리방법 중 습열조리와 거리가 먼 것은?

① 브로일링   ② 스티밍
③ 보일링   ④ 시머링

[해설] 브로일링은 굽기, 스티밍은 찌기, 보일링은 끓이기, 시머링은 은근히 끓이기를 의미한다.

33 강력분을 사용하지 않는 것은?

① 케이크   ② 식빵
③ 마카로니   ④ 피자

[해설] 케이크는 강력분이 아닌 박력분을 사용한다.

34 밀가루로 빵을 만들 때 첨가하는 다음 물질 중 글루텐 형성을 도와주는 것은?

① 설탕   ② 지방
③ 중조   ④ 달걀

[해설] 달걀은 가열에 의해 달걀 단백질이 응고되면서 글루텐의 형성을 도와 빵의 모양을 유지하고, 빵 맛과 색을 좋게 한다.

35 토마토 크림 수프를 만들 때 일어나는 우유의 응고 현상을 바르게 설명한 것은?

① 산에 의한 응고   ② 당에 의한 응고
③ 효소에 의한 응고   ④ 염에 의한 응고

[해설] 과일과 채소를 우유와 함께 조리할 때 과일과 채소의 유기산이 우유의 응고를 촉진시키는데, 토마토 크림 수프를 조리할 때 토마토의 산도로 카세인이 응고되는 것이 이에 해당한다.

36 조리대 배치 형태 중 환풍기와 후드의 수를 최소화할 수 있는 것은?

① 일렬형   ② 병렬형
③ ㄷ자형   ④ 아일랜드형

[해설] 아일랜드형은 개수대나 가열대 또는 조리대가 독립되어 있는 형태로, 조리 기기를 한곳으로 모아 놓았기 때문에 환풍기나 후드의 수를 최소한으로 줄일 수 있다.

37 달걀의 가공 특성이 아닌 것은?

① 열 응고성   ② 기포성
③ 쇼트닝성   ④ 유화성

[해설] 달걀의 가공 특성에는 응고성, 녹변현상, 기포성, 유화성이 있다.

38 어니언 수프를 만들 때 양파를 오랫동안 볶아서 사용하게 되면 단맛이 난다. 이유는?

① 황화아릴류가 증가하기 때문
② 가열하면 양파의 매운맛이 제거되기 때문
③ 알리신이 티아민과 결합하여 알리티아민으로 변하기 때문
④ 황화합물이 프로필메르캅탄으로 변하기 때문

[해설] 양파를 가열조리 시 양파의 맛 성분이 기화되면서 일부 분해되어 단맛을 내는 프로필메르캅탄을 형성하기 때문에 단맛이 난다.

39 견과류 중 지질 함량이 가장 많아 산패가 빠르며 일반적으로 초콜릿, 아이스크림, 과자 등에 이용되는 것은?

① 땅콩   ② 호두
③ 마카다미아   ④ 해바라기씨

[해설] 마카다미아는 75%의 지질함량과 100g에 700kcal를 내는 고열량 식품이다.

40 다음 중 파스타의 종류가 아닌 것은?

① 스파게티   ② 펜네
③ 라쟈냐   ④ 피데

[해설] 피데는 밀가루 반죽을 둥글고 납작하게 만들어 화덕에 구운 터키의 전통 빵이다.

41 팬에 적당량의 버터(식용유)를 두르고 달걀을 빠르게 휘저어 부드럽게 만드는 요리는?

① 스크램블 에그   ② 오믈렛
③ 에그 베네딕트   ④ 포치드 에그

42 써는 방식이 다른 하나는?

① 다이스(Dice)   ② 스몰 다이스(Small dice)
③ 올리베트(Olivette)   ④ 브뤼누아즈(Brunoise)

[해설] 올리베트(Olivette) – 올리브 형태로 깎는 것을 말한다.

43 버터와 밀가루를 색이 나지 않도록 볶아주고 우유를 넣어 농도를 조절하며 만드는 소스는?

① 크림 수프   ② 베사멜 소스
③ 화이트 루   ④ 홀렌다이즈 소스

[해설] ① 크림 수프 – 밀가루를 버터에 볶다가 수프 스톡을 넣어 끓여서 부드러워지면 우유를 넣어 걸쭉하게 만든 포타주 수프
③ 화이트 루 – 밀가루와 버터 무게를 기준으로 1 : 1 비율로 넣고 볶은 것으로 각종 소스와 수프를 만드는 재료로 사용한다.
④ 홀렌다이즈 소스 – 버터와 레몬즙을 노른자와 유화하고 소금과 소량의 후추를 양념한 것이다.

44 채소나 치즈 등을 원하는 형태로 가는 도구는?

① 롤 커터(Roll cutter)   ② 그레이터(Grater)
③ 시노와(Chinois)   ④ 믹싱 볼(Mixing bowl)

정답   30. ④   31. ③   32. ①   33. ①   34. ④   35. ①   36. ④   37. ③   38. ④   39. ③   40. ④   41. ①   42. ③   43. ②   44. ②

[해설] ① 롤 커터(Roll cutter) : 피자 등을 자를 때 사용
③ 시노와(Chinois) : 스톡이나 소스를 고운 형태로 거를 때 사용하는 도구
④ 믹싱 볼(Mixing bowl) : 재료를 담거나 섞을 때 사용

45 미르포아에 들어가는 재료가 아닌 것은?

① 셀러리   ② 양파
③ 대파   ④ 당근

[해설] 미르포아에 들어가는 재료는 셀러리, 양파, 당근으로 스톡의 향미를 더해
준다.

46 다음 중 수프의 종류가 다른 것은?

① 콩소메   ② 포타주
③ 차우더   ④ 크림 수프

[해설] – 콩소메 : 소, 닭, 생선, 채소 등을 오래 끓여 맑게 우려낸 수프
– 포타주, 차우더, 크림 수프는 농도가 있는 수프 종류다.

47 파스타에 대한 설명으로 맞는 것은?

① 라비올리 : 고기나 치즈로 속을 채운 후 납작하게 빚는다.
② 파르팔레 : 길고 가는 리본 파스타로 에피타이저로 많이 사용한다.
③ 토르텔리니 : 나비 모양으로 다양한 크기가 있다.
④ 탈리아텔레 : 오목하게 눌린 타원형이다.

[해설] ② 파르팔레 : 나비 모양으로 다양한 크기가 있다.
③ 토르텔리니 : 치즈 등으로 속을 채운 뒤 반달 모양으로 접어 양끝을 이어
붙인 만두형의 파스타
④ 탈리아텔레 : 파스타의 한 종류로 면의 모양이 칼국수처럼 길고 납작하다.

48 전채요리의 요건이 아닌 것은?

① 맛과 짠맛이 침샘을 자극해서 식욕을 돋우어야 한다.
② 크기를 작게 하고 모양과 색에서 아이디어와 예술적 감각이 돋보여야
한다.
③ 세계적으로 유명한 식재료를 사용해야 한다.
④ 조리법이 겹치지 않게 다양한 조리법으로 만들어야 한다.

[해설] 지역의 특성과 계절에 맞는 다양한 식재료를 사용해야 한다.

49 닭고기의 부위별 조리법에서 핑거푸드로 사용할 수 있는 부위는?

① 다리   ② 날개
③ 가슴살   ④ 근위

50 완성된 음식을 돋보이기 위해 곁들이는 것을 무엇이라 하는가?

① 콩피   ② 포토퓌
③ 부케가르니   ④ 가니쉬

[해설] ① 콩피 : 고기를 기름에 재워 낮은 온도에서 오랫동안 익히는 방법
② 포토퓌 : 고기와 야채를 냄비에 넣고 은근하게 삶는 요리
③ 부케가르니 : 향신료 다발

51 서양식 에피타이저 식탁에 어울리는 조미료는?

① 식초, 간장, 후추   ② 소금, 참기름, 식초
③ 소금, 식초, 올리브오일   ④ 후추, 간장, 올리브오일

[해설] 소금, 식초, 올리브오일은 에피타이저에 사용한다.

52 달걀 삶는 방법이 다른 하나는?

① 포치드 에그   ② 코들드 에그
③ 소프트 보일드 에그   ④ 하드 보일드 에그

[해설] 포치드 에그 : 껍질을 제거한 달걀을 90℃ 정도의 뜨거운 물에 식초를 넣어
익히는 방법이다.

53 다음 중 조리법이 다른 것은?

① 비프 커틀렛   ② 스콘
③ 안심 스테이크   ④ 비프 스튜

[해설] 비프 커틀렛, 스콘, 안심 스테이크는 건열 조리법

54 차갑게 먹는 시리얼이 아닌 것은?

① 후루츠 뮤슬리   ② 오트밀
③ 그래놀라   ④ 라이스 크리스피

[해설] 오트밀은 육수나 우유로 죽처럼 조리해서 먹는 시리얼이다.

55 다음 중 콩디망에 들어가지 않는 것은?

① 미르포아   ② 칠리소스
③ 유자 후추   ④ 과콰몰리

[해설] 미르포아는 스톡에 향미를 주는 채소 혼합물이다.

56 양식 코스로 맞는 것은?

① 수프 – 애피타이저 – 생선요리 – 육류요리 – 디저트
② 애피타이저 – 수프 – 육류요리 – 생선요리 – 디저트
③ 애피타이저 – 수프 – 생선요리 – 육류요리 – 디저트
④ 수프 – 애피타이저 – 육류요리 – 생선요리 – 디저트

57 파스타 100g을 삶을 때 필요한 물의 양은?

① 700ml   ② 1L
③ 1.5L   ④ 2L

[해설] 1L물에 파스타 양은 100g 정도가 적당하다.

58 다음 중 얼려먹는 디저트가 아닌 것은?

① 파르페(Parfait)   ② 그라니타(Granita)
③ 크렘 브륄레(Crême brûlée)   ④ 카사타(Cassata)

[해설] 크렘 브륄레(Crême brûlée) : 크림 커스터드 반죽을 익힌 후 냉장 보관하여
제공하기 전 위에 설탕을 얇게 골고루 뿌린 다음, 토치로 열을 가해 캐러멜
토핑을 만든 후 제공하거나 리큐르를 뿌려 플람베 하기도 한다.

59 조찬용 조리빵이 아닌 것은?

① 팬케이크   ② 잉글리시 머핀
③ 와플   ④ 프렌치토스트

60 정식 메뉴(Table d' hote menu : 타블 도트)에 대한 설명으로 맞지 않는 것은?

① 메뉴 관리가 용이하다.

② 신속한 서비스로 좌석 회전율을 높일 수 있다.

③ 조리 과정이 일정하여 업무 흐름이 원활하다.

④ 숙련된 조리사가 필요하다.

[해설] 숙련된 조리사가 필요하며, 서비스 요원의 전문화가 필요하며 인건비가 높은 것은 일품요리(A la carte) 메뉴이다.

01 셀러리, 당근, 양파는 무엇을 만드는 기본 재료인가?

① 미르포아(Mirepoix)
② 베지터블 수프(vegetable soup)
③ 루(Roux)
④ 부케가르니(Bouquet garni)

[해설] 미르포아(Mirepoix) – 스톡의 향미를 내는데 필요한 재료로 셀러리, 당근, 양파, 월계수잎 등을 사용한다.

02 인도에서 대표적으로 쓰이는 향신료 중 꽃에서 채취하는 가장 값 비싼 향신료로 음식의 노란색을 나타내는 것은?

① 강황
② 울금
③ 커리
④ 샤프란

[해설] 샤프란은 세계에서 가장 비싼 향신료 중의 하나. 1kg의 샤프란을 얻으려면 수작업으로16만 송이의 꽃이 필요하다.

03 양식 테이블 세팅(상차림)의 구성요소로 맞지 않은 것은?

① 디너 웨어
② 소금, 후추
③ 린넨
④ 커트러리

[해설] 테이블 세팅의 구성요소는 린넨, 글라스웨어, 디너웨어, 커트러리, 센터피스, 피규어 등이다.

04 스테이크의 익힘 정도에 따른 올바른 순서는?

① 레어 → 웰던 → 미디엄
② 웰던 → 레어 → 미디엄
③ 웰던 → 미디엄 → 레어
④ 레어 → 미디엄 → 웰던

[해설] 레어 → 미디엄 → 웰던의 순서로 익힘의 정도를 표시한다.

05 이탈리아 프란체스코회의 카푸친 수도회 수도사들이 입던 옷의 색깔과 비슷하다고 하여 이름 붙여졌다는 설이 있는 커피는?

① 아메리카노
② 카푸치노
③ 프라푸치노
④ 카페라테

[해설] 카푸치노는 우유와 우유 거품이 조화를 이루는 메뉴이다.

06 고기나 채소를 갈 때 사용하는 도구는?

① 베지터블 필러
② 위스크
③ 블렌더
④ 민서

[해설] ※ 민서(Mincer) – 고기나 채소를 갈 때 사용하기도 하고 원하는 형태로 틀을 갈아 끼울 수 있다.
① 베지터블 필러 – 오이, 당근 등의 채소류 껍질을 벗기는 도구이다.
② 위스크 – 크림을 휘핑하거나 계란 등을 섞을 때 사용한다.
③ 블렌더 – 소스나 드레싱용으로 음식물을 가는 데 사용한다.

07 다음 전채요리의 재료에서 생선류로 만든 것은?

① 트러플 머쉬룸
② 살몬 세비체
③ 스터프트 에그
④ 프로슈토 디 파르마

[해설] ※ 세비체 – 해산물을 회처럼 얇게 잘라 레몬즙이나 라임즙에 재운 후 차갑게 먹는 중남미 음식
① 트러플 머쉬룸 – 트러플 소스를 뿌린 버섯요리
③ 스터프트 에그 – 속을 채운 달걀
④ 프로슈토 디 파르마 – 돼지뒷다리를 소금에 말린 생햄

08 빵, 달걀, 감자, 육류, 생선 요리로 많은 종류와 양이 제공되는 것은 어느 지역의 아침 식사인가?

① 미국
② 영국
③ 파리
④ 캐나다

[해설] 영국식 아침 식사는 빵과 주스, 달걀, 감자, 육류 요리, 생선 요리가 제공되며, 조식 요리 중 가장 많은 종류와 양이 무겁게 느껴진다.

09 소시지나 베이컨 제조 시 훈연의 목적 및 효과에 대한 설명으로 틀린 것은?

① 방부 작용에 의한 저장성 증가
② 항산화 작용에 의한 지방의 산화 방지
③ 훈연 향에 의한 풍미의 개선
④ 훈연에 의한 수분 증발로 육질이 질겨짐

10 과일이 익어가면서 조직이 연해지는 이유는?

① 전분질이 가수분해되기 때문
② 펙틴(pectin)질이 분해되기 때문
③ 색깔이 변하기 때문
④ 단백질이 가수분해되기 때문

[해설] 과일이 익으면 펙틴 가수분해효소가 펙틴을 분해하며, 이 과정에서 중간층이 분해되고 세포가 서로 떨어지게 되어 과일이 부드러워진다.

11 전채요리에 속하는 메뉴로 알맞은 것은?

① 클럽 샌드위치
② 크렘 브륄레
③ 스패니쉬 오믈렛
④ 쉬림프 카나페

[해설] 전채요리란 주 요리 전에 나오는 소량의 음식으로 식욕을 돋울 수 있어야 한다.

12 식용유와 식초, 소금을 넣고 빠르게 저어 일시적인 유화 상태를 만드는 드레싱은?

① 마요네즈 소스
② 비네그레트 소스
③ 홀랜다이즈 소스
④ 사워크림 소스

[해설] 비네그레트 소스는 유화 소스의 하나로 식초나 레몬즙과 오일을 섞은 불안정한 혼합물이다. 레드와인 비네그레트, 발사믹 비네그레트 등이 있다.

13 다음 중 박력분에 대한 설명으로 옳은 것은?

① 단백질(8~9%) – 바삭한 식감으로 과자 등에 적당하다.
② 단백질(11% 이상) – 글루텐 함량이 높아 제빵에 사용된다.
③ 단백질(13% 이상) – 부드러운 식감으로 케이크에 적당하다.
④ 단면이 치밀하여 피자, 빵에 많이 사용된다.

[해설] 박력분은 글루텐 형성 능력이 낮아서 과자, 케이크 등으로 적당하다.

14 토마토, 피망, 오이, 빵, 올리브 오일, 식초, 얼음물을 함께 갈아 차게 먹는 야채 수프는?

① 미네스트로네　　　　　② 콩소메
③ 차우더　　　　　　　　④ 가스파쵸

[해설] 가스파쵸는 스페인 남부 안달루시아(Andalucia) 지방의 대표 요리로 잘 익은 토마토를 이용한 차가운 수프다.

15 샌드위치용 빵으로 적당한 것은?

① 포카치아　　　　　　　② 크림빵
③ 모카빵　　　　　　　　④ 소보로빵

[해설] 샌드위치용 빵은 속 재료가 들어가기 때문에 담백한 것으로 만든다.

16 스톡 조리법으로 맞는 것은?

① 센 불에서 물이 끓으면 재료를 넣고 불을 줄인다.
② 스톡의 온도가 섭씨 약 90℃를 유지하도록 은근히 끓여준다.
③ 스톡에는 약간의 간을 해야 깊은 맛이 난다.
④ 거품을 걷어내면 육수의 맛이 싱거워진다.

[해설] 스톡이 끓기 시작하면 불의 세기를 조절하여 은근하게 오래 끓여야 깊은 맛을 낼 수 있다.

17 소고기 부위 중 스테이크로 가장 적당한 부위는?

① 채끝살　　　　　　　　② 사태
③ 차돌박이　　　　　　　④ 양지

[해설] － 채끝살 : 소 허리 뒷부분에 있는 등심근
　　　 － 차돌박이 : 지방이 매우 단단하기 때문에 얇게 썰어 샤브샤브, 구이용으로 사용하는 것이 좋다.
　　　 － 사태, 양지 부위는 질기기 때문에 콘비프나 스튜처럼 오래 끓여야 한다.

18 프랑스의 대표적인 달걀 요리로 달걀 반죽 자체로 익히거나 부재료를 넣어 모양을 내는 등 따뜻하게 만들어 주로 아침식사로 먹는 것은?

① 달걀 프라이　　　　　　② 달걀 프리타타
③ 오믈렛　　　　　　　　④ 오프라이스

[해설] 프랑스 노르망디 지방이 낙농업의 발달로 신선한 달걀과 뛰어난 버터의 품질로 오믈렛이 잘 알려져 있다.

19 젤리 속에 과일의 과육 또는 과피의 조각을 넣어 만든 제품은?

① 필링　　　　　　　　　② 잼
③ 마말레이드　　　　　　④ 프리저브

[해설] ※ 마말레이드 － 감귤류의 껍질과 과육에 설탕을 넣어 조린 젤리 모양의 잼
　　　 ① 필링 － 파이, 페이스트에 내용물을 채우는 것
　　　 ② 잼 － 과일에 다량의 설탕을 넣고 조려서 만드는 것
　　　 ④ 프리저브 － 과일의 형태가 있게 조린 것이다.

20 디저트의 3요소가 아닌 것은?

① 감미　　　　　　　　　② 과일
③ 풍미　　　　　　　　　④ 향신료

[해설] 디저트의 3요소는 감미, 풍미, 과일로 이루어진다.

21 다음 중 폐기율이 가장 높은 것은?

① 달걀　　　　　　　　　② 바지락
③ 생선　　　　　　　　　④ 수박

[해설] ※ 바지락 － 51%
　　　 ① 난류 － 13%　　　③ 생선 － 38%
　　　 ④ 수박 － 33%

22 식전, 식후에 손을 씻는 용도로 쓰이며 꽃잎, 레몬 조각 등을 띄우기도 하는 것은?

① 핑거 푸드　　　　　　② 핑거볼
③ 핸드 워시　　　　　　④ 손세정제

[해설] 서양 요리의 정찬에서 마지막에 나오는 과일을 먹고 난 뒤에 손가락 끝을 그릇에 담가 조용히 씻는다.

23 토마토 퓌레에 대한 설명으로 옳은 것은?

① 토마토를 껍질을 벗겨 통조림으로 만든 것
② 토마토를 파쇄하여 조미하지 않고 농축시킨 것
③ 토마토 퓌레에 향신료를 가미한 것
④ 토마토 퓌레를 농축하고 수분을 날린 것

[해설] ① 토마토 홀
　　　 ③ 토마토 쿨리
　　　 ④ 토마토 페이스트

24 조리대 배치 형태 중 환풍기와 후드의 수를 최소화할 수 있는 것은?

① 일렬형　　　　　　　　② 병렬형
③ ㄷ자형　　　　　　　　④ 아일랜드형

[해설] 아일랜드형은 개수대나 가열대 또는 조리대가 독립되어 있는 형태로, 조리 기기를 한곳으로 모아 놓았기 때문에 환풍기나 후드의 수를 최소한으로 줄일 수 있다.

25 올리브 형태로 깎는 것은?

① 다이스(Dice)　　　　　② 스몰 다이스(Small dice)
③ 올리베트(Olivette)　　　④ 브뤼누아즈(Brunoise)

26 다음 중 베사멜 소스에 대한 설명으로 옳은 것은?

① 밀가루를 버터에 볶다가 수프 스톡을 넣어 끓여서 부드러워지면 우유를 넣어 걸쭉하게 만든 것
② 밀가루와 버터 무게를 기준으로 1 : 1 비율로 넣고 볶은 것
③ 버터와 레몬즙을 노른자와 유화하고 소금과 소량의 후추를 양념한 것
④ 버터와 밀가루를 색이 나지 않도록 볶아주고 우유를 넣어 농도를 조절하며 만드는 것

[해설] ① 크림 수프　　　　　② 화이트 루
　　　 ③ 홀렌다이즈 소스

27 서양 음식의 나라별 설명이 옳지 않은 것은?

① 이탈리아 － 향신료 사용, 파스타
② 프랑스 － 다양한 소스, 디저트 발달
③ 영국 － 커피, 육류 음식
④ 미국 － 가공식품, 햄버거 등의 인스턴트식품

[해설] 영국 － 차 문화 발달, 피쉬 앤 칩스, 로스트 비프

28 세비체에 대한 설명으로 맞는 것은?

① 저장을 위해 훈연 처리하는 것
② 해물을 레몬즙에 절여 차갑게 먹는 것
③ 치즈 등을 음식 위에 듬뿍 얹어 노릇하게 익혀내는 것
④ 여러 양념을 요리에 맞게 섞은 것

[해설] 페루를 비롯한 중남미 지역의 대표적인 음식으로 생선살이나 오징어, 새우, 조개 등을 레몬즙이나 라임즙에 재운 후에 잘게 다진 채소와 함께 소스를 뿌려 먹는 음식

29 소뼈와 채소, 향신료를 갈색으로 구워 육향이 강하게 끓인 것은?

① 부용
② 화이트 스톡
③ 브라운 스톡
④ 수프

[해설] 브라운 스톡은 서양 요리에 사용되는 기본 육수로 소, 닭, 양 뼈 등에 부케 가르니를 넣고 맛을 우려낸 국물을 말한다.

30 샌드위치를 형태별로 나눈 것이 아닌 것은?

① 콜드 샌드위치
② 핑거 샌드위치
③ 오픈 샌드위치
④ 롤 샌드위치

[해설] 콜드 샌드위치는 형태가 아닌 온도에 따라 나누어 놓은 것이다.

31 샌드위치의 스프레드의 역할로 옳지 않은 것은?

① 맛의 향상
② 접착제 역할
③ 수분이 스며들지 않는 코팅제 역할
④ 바삭한 감촉 유지

[해설] 샌드위치의 스프레드의 역할은 맛의 향상, 접착제 역할, 촉촉함 유지, 코팅제 역할이다.

32 샌드위치의 플레이팅 방법으로 적당하지 않은 것은?

① 재료의 색감을 표현한다.
② 음식의 온도에 맞게 접시의 온도를 조절한다.
③ 되도록 푸짐하게 보일 수 있게 담는다.
④ 가니쉬와 균형감 있게 담는다.

[해설] 적당한 양을 심플하고 깔끔하게 담도록 한다.

33 샐러드 드레싱에 대한 설명으로 적당하지 않은 것은?

① 재료의 색감을 살려 맛있어 보이게 표현한다.
② 소화를 도울 수 있어야 한다.
③ 드레싱은 샐러드에 넉넉할수록 좋다.
④ 드레싱은 제공 시에 뿌리도록 한다.

[해설] 드레싱은 샐러드의 양보다 많지 않게 담는다.

34 아침식사로 나오는 달걀 요리 중 건식열로 익히는 조리법이 아닌 것은?

① 보일드 에그
② 오믈렛
③ 스크램블 에그
④ 달걀 프라이

[해설] 보일드 에그는 삶는 습식 조리법이다.

35 진한 수프 중 우유나 크림을 사용하지 않는 것은?

① 베사멜
② 차우더
③ 비스크
④ 퓌레

[해설] 퓌레는 채소를 분쇄하여 자체 농도를 조절한다.

36 지역별 대표 수프가 제대로 연결되지 않은 것은?

① 굴라시 – 러시아
② 부야베스 – 프랑스
③ 미네스트로네 – 이탈리아
④ 보르시치 – 러시아

[해설] 굴라시 – 헝가리

37 육류를 마리네이드 하는 이유로 옳지 않은 것은?

① 누린내 제거
② 연육 작용
③ 향미 부여
④ 마리네이드 재료는 반드시 액체일 것

[해설] 향신료로 마리네이드 할 경우는 고체를 사용한다.

38 다음 중 후식에 사용하는 소스가 아닌 것은?

① 앙글레이즈
② 뵈르 마니에
③ 리큐어 소스
④ 초콜릿 소스

[해설] 뵈르 마니에 – 버터와 밀가루를 동량으로 섞어 만든 농후제

39 지방의 산패를 촉진시키는 요인이 아닌 것은?

① 효소
② 자외선
③ 금속
④ 토코페롤

[해설] 토코페롤은 항산화제로 산패를 늦춘다.

40 다음 중 토마토가 들어간 파스타 소스는?

① 볼로네즈 소스
② 까르보나라 소스
③ 알리오 올리오 소스
④ 알프레도 소스

[해설] ※ 볼로네즈 소스 – 이탈리아의 볼로냐(Bologna) 지방에서 처음 만들어졌기 때문에 지명에서 이름이 유래하였다. 라구(ragu) 소스라고도 하며 다진 고기를 토마토 퓌레와 함께 조리한 소스를 말한다.
② 까르보나라 소스 – 크림, 베이컨, 달걀, 파르메산치즈를 섞어서 만든다.
③ 알리오 올리오 소스 – 마늘과 올리브 오일이 기본이 된다.
④ 알프레도 소스 – 버터·파르메산치즈·크림으로 만든 소스이다.

41 차갑게 먹는 디저트가 아닌 것은?

① 라즈베리 무스
② 오렌지 콤포트
③ 크레이프 수제트
④ 샤를로트

[해설] 크레이프 수제트 – 오렌지 버터 소스에 그랑 마니에르 리큐르를 넣고 플람베(flamb , 알코올에 불을 붙이는 조리 방법)로 만드는 달콤한 크레프다.

42 다음 중 디저트로도 먹지만 메인 요리 사이에 제공되어 입맛을 정리하는 용도로도 나오는 것은?

① 파르페
② 셔벗
③ 아이스크림
④ 카사타

[해설] 셔벗 – 프랑스어로는 소르베라고하며 과즙에 물, 설탕 등을 넣고 얼린 빙과류

43 튀김 공정 중 기름에서 일어나는 주요 변화가 아닌 것은?

① 점도 증가
② 유리지방산 감소
③ 짙은 색상
④ 열 산화

[해설] 유리지방산 증가

44 다음 중 액체 상태의 유지를 고체 상태로 변환시켜 쇼트닝을 만들 거나, 유지의 산화 안정성을 높이기 위해 사용하는 가공 방법은?

① 경화
② 탈검
③ 탈색
④ 여과

[해설] ② 탈검 – 기름 중의 인지질을 주성분으로 하는 검 상태 물질 및 콜로이드 상태로 현탁되어 있는 불순물을 제거하는 것
③ 탈색 – 착색 물질을 흡수 또는 분해하여 제거하는 것
④ 여과 – 액체와 고체가 혼합된 물질을 입자의 크기 차이를 이용해 분리 하는 방법

45 고구마를 절단하여 보면 고구마의 특수 성분으로 흰색 유액이 나오 는데 이 성분은 무엇인가?

① 사포닌(saponin)
② 얄라핀(jalapin)
③ 솔라닌(solanine)
④ 이눌린(inulin)

46 치즈 제조 시에 쓰이는 응유 효소는?

① 레넷(rennet)
② 펩신(pepsin)
③ 파파인(papain)
④ 브로멜린(bromelin)

[해설] 레넷이란 송아지 제 4번째 위 점막에 존재하는 레닌을 주로 해서 제조된 응유 효소제를 말한다.

47 세사몰(sesamol)이 들어있는 식품과 그 작용은?

① 콩기름 – 항산화제
② 땅콩기름 – 항암물질
③ 들기름 – 항암물질
④ 참기름 – 항산화제

48 제빵 시 설탕첨가의 목적과 가장 거리가 먼 것은?

① 노화 방지
② 빵 표면의 색깔 증진
③ 효모의 영양원
④ 유해균의 발효 억제

[해설] 제빵에서의 설탕의 역할은 단맛 외에 부드러운 촉감, 표면의 윤기 있는 색상, 이스트의 대사작용, 지방의 산화 억제 등이 있다.

49 과채류의 특성을 설명한 것 중 틀린 것은?

① 시금치 중의 수산(oxalic acid)은 칼슘(Ca)과 함께 결합하여 결석을 유발하기도 한다.
② 고추에서 매운맛을 내는 성분은 캡사이신(capsaicin)이며 빨간 색소는 캡산틴(capsanthin)이다.
③ 파인애플에는 bromelain이라는 단백질 분해효소가 있어 연육소로 사용된다.
④ 무화과에서 얻어지는 파파인(papain) 효소는 지방 분해효소로 널리 이용된다.

[해설] 파파인은 단백질 분해효소다.

50 식품 첨가물의 허용량을 결정하는데 있어서 가장 중요한 요인은?

① 1일 섭취 허용량
② 사람의 수명
③ 식품의 가격
④ 사람의 성별

[해설] 식품 첨가물의 1일 섭취 허용량이란 사람이 어떤 물질을 일생 매일 먹더라도 유해한 작용을 일으키지 않는 양을 말한다.

51 밀가루의 제빵 특성에 영향을 주는 가장 중요한 품질 요인은?

① 회분 함량
② 색깔
③ 단백질 함량
④ 당 함량

[해설] 단백질인 글루텐에 의해 밀가루 반죽이 된다. 글루텐의 함량에 따라 강력분, 중력분, 박력분으로 종류가 나뉜다.

52 마요네즈(mayonnaise)의 재료가 아닌 것은?

① 난황
② 우유
③ 샐러드유
④ 식초

[해설] 마요네즈의 주재료는 달걀노른자, 식초, 식용유, 소금, 후추 등이다.

53 다음 유제품 중 저장성이 가장 좋은 것은?

① 시유(market milk)
② 연유
③ 발효유
④ 분유

[해설] 우유의 88% 수분을 제거하고 가루로 만들어 용적이 작아지고 저장성이 높아진다.

54 펩신(pepsin)에 대한 설명 중 옳은 것은?

① 단백질 분해효소이다.
② 탄수화물 분해효소이다.
③ 무기질 분해효소이다.
④ 지방 분해효소이다.

[해설] ② 탄수화물 분해효소 – 아밀라제, 말타아제, 락타아제, 수크라아제 등으로 보통 소화액에서 분비
④ 지방 분해효소 – 리파아제

55 현미를 백미로 도정할 때 쌀겨층에 해당되지 않는 것은?

① 과피
② 종피
③ 왕겨
④ 호분층

[해설] 왕겨 – 벼의 겉껍질

56 독버섯 중에서 주로 검출되는 유독 성분은?

① 솔라닌(solanine)
② 무스카린(muscarine)
③ 테물린(temuline)
④ 아트로핀(atropine)

[해설] ① 솔라닌 – 감자의 싹
③ 테물린 – 독보리
④ 아트로핀 – 벨라돈나

57 미르포아(Mirepoix)의 재료는?

① 마늘, 생강, 대파
② 셀러리, 양파, 팔각
③ 셀러리, 당근, 양파
④ 고추, 후추, 마늘

[해설] 스톡의 향미를 내는데 필요한 재료로 셀러리, 당근, 양파, 월계수잎 등을 사용한다.

58 수프를 구성하는 요소를 잘못 설명한 것은?

① 루(Roux) : 농도를 조절하는 농후제 역할을 한다.
② 스톡 : 수프의 가장 기본이 되는 요소다.
③ 향신료 : 병증에 좋은 치료제의 역할로 식욕을 촉진시킨다.
④ 가니쉬 : 수프의 맛을 증가시켜주는 역할을 한다.

[해설] 향신료 : 음식에 풍미를 더해 식욕을 촉진시키고 방부작용과 보존성을 줄
　　　 수 있다. 서양 요리에선 빠질 수 없는 식재료이다.

59 다음 조리법 중 기름에 튀겨 내는 조리법은?

① Grilling
② Roasting
③ Steaming
④ Deep Frying

[해설] ① Grilling : 가열된 금속 표면에 굽는 방법
　　　 ② Roasting : 육류 또는 가금류 등을 통째로 오븐에서 굽는 방법
　　　 ③ Steaming : 찜통에서 음식을 쪄내는 요리 방법

60 달걀의 한쪽 면만 익힌 것으로 달걀노른자가 떠오르는 태양과 같다고 해서 붙여진 이름을 가진 요리명은?

① 서니 사이드 업
② 오버 이지
③ 오믈렛
④ 오버 미디엄

3

양식조리기능사 필기시험 총정리

기출복원문제편

01 식품위생법상 식품의 정의는?

① 의약으로서 섭취하는 것을 제외한 모든 음식물을 말한다.
② 모든 음식물을 말한다.
③ 모든 음식물과 식품첨가물을 말한다.
④ 모든 음식물과 화학적 합성품을 말한다.

02 식품의 위생과 관련된 곰팡이의 특징이 아닌 것은?

① 건조식품을 잘 변질시킨다.
② 생육에 산소를 요구하는 절대 호기성 미생물이다.
③ 견과류에 아플라톡신을 생성한다.
④ 생육 속도가 세균에 비하여 빠르다.

[해설] 곰팡이의 번식력은 세균보다 느리지만 생명력은 질기다.

03 수인성 감염병에 대한 설명으로 옳지 않은 것은?

① 짧은 시간 내에 다수의 환자가 발생한다.
② 급수 지역과 환자 발생은 밀접한 관련이 있다.
③ 성별, 연령별에 따라 발병률의 차이가 있다.
④ 오염원 제거 시 종식 가능하다.

[해설] 수인성 감염병은 오염수, 음식물을 통해 전파되므로 성별, 연령별은 큰 의미가 없다.

04 모든 미생물을 제거하여 무균상태로 하는 조작은?

① 소독   ② 살균
③ 멸균   ④ 정균

[해설] 멸균은 비병원균과 미생물의 아포까지 사멸한다.

05 식품위생법상 조리사가 식중독이나 그 밖의 위생과 관련한 중대한 사고 발생의 직무상 책임에 대한 1차 위반 시 행정처분기준은?

① 시정명령   ② 업무정지 1개월
③ 업무정지 2개월   ④ 면허취소

[해설] 1차 위반 시 업무정지 1개월이다. 2차 위반 시 업무정지 2개월이며, 3차 위반 시 면허취소가 된다.

06 자외선에 의한 인체 건강 장애가 아닌 것은?

① 백내장   ② 피부암
③ 설안염   ④ 폐기종

[해설] 폐기종은 분진, 흡연 등에 원인이 있다.

07 전분식품의 노화를 억제하는 방법으로 적합하지 않은 것은?

① 설탕을 첨가한다.
② 식품을 냉장 보관한다.
③ 식품의 수분함량을 15% 이하로 한다.
④ 유화제를 사용한다.

[해설] 노화 방지 온도는 0℃ 이하거나 60℃ 이상 유지해야 한다.

08 과실 저장고의 온도, 습도, 기체 조성 등을 조절하여 장기간 동안 과실을 저장하는 방법은?

① 산 저장   ② 자외선 저장
③ 무균포장 저장   ④ CA 저장

[해설] 산소는 낮추고 이산화탄소 농도를 증가시키는 저장법으로 과일 호흡을 억제시킨다.

09 완두콩 통조림을 가열하여도 녹색이 유지되는 것은 어떤 색소 때문인가?

① 클로로필   ② 구리-클로로필
③ 클로로필나트륨   ④ 클로로필린

[해설] 클로로필(청록색)은 구리나 철 이온들과 함께 가열하면 클로로필 분자 중의 마그네슘과 치환되어 선명한 청록색의 구리(또는 철)-클로로필이 된다.

10 주방의 바닥 조건으로 옳지 않은 것은?

① 잘 미끄러지지 않는 고무타일, 합성수지타일이 적합하다.
② 산, 알칼리, 습기, 열에 강해야 한다.
③ 바닥 전체의 물매는 20분의 1이 적당하다.
④ 드라이 시스템은 조리장 바닥을 건조한 상태로 유지하는 것을 말한다.

[해설] 물매는 100분의 1 이상이어야 한다.

11 식품첨가물에 대한 설명으로 틀린 것은?

① 보존료는 식품의 미생물에 의한 부패를 방지할 목적으로 사용된다.
② 규소수지는 주로 산화 방지제로 사용된다.
③ 산화형 표백제로서 식품에 사용이 허가된 것은 과산화벤조일이다.
④ 과황산암모늄은 소맥분 이외의 식품에 사용하여서는 안 된다.

[해설] 규소수지 (silicon resin)는 주로 소포제로 사용되는 첨가제로 거품을 제거하는 목적 이외에는 절대 사용할 수 없게 되어있다.

12 미생물의 생육에 필요한 수분활성도의 크기로 옳은 것은?

① 세균 〉 효모 〉 곰팡이   ② 곰팡이 〉 세균 〉 효모
③ 효모 〉 곰팡이 〉 세균   ④ 세균 〉 곰팡이 〉 효모

[해설] 미생물의 생육에 필요한 최저 수분활성도(Aw)는 세균(0.90~0.95) 〉 효모(0.88) 〉 곰팡이(0.65~0.80)의 순이다.

13 생균을 이용한 인공능동면역으로 영구적인 면역력을 얻게 되는 것은?

① 노로 바이러스   ② 세균성 이질
③ 홍역   ④ 인플루엔자

[해설] 영구면역적 질병은 홍역, 백일해, 발진티푸스, 페스트, 콜레라 등이 있다.

14 다음 중 아미노산, 단백질 등이 당류와 반응하여 갈색물질을 생성하는 반응은?

① 폴리페놀 옥시다아제 반응   ② 마이야르 반응
③ 캐러멜화 반응   ④ 티로시나아제 반응

[해설] 단백질 등이 당류와 반응하는 것은 비효소적 갈변현상으로 멜라노이딘 색소를 생성하기 때문이다.

15 다음 원가의 구성에 해당하는 것은?

직접원가 + 제조간접비

① 판매가격　　　　　　② 간접원가
③ 제조원가　　　　　　④ 총원가

[해설] 제조원가 = 직접원가 + 제조간접비

16 고기를 연하게 하기 위해 사용하는 과일에 들어 있는 단백질 분해 효소가 아닌 것은?

① 피신　　　　　　　　② 브로멜린
③ 파파인　　　　　　　④ 글루테닌

[해설] 글루테닌은 밀가루의 단백질 성분이다.

17 식단을 작성할 때 구비해야 하는 자료로 가장 거리가 먼 것은?

① 계절식품표　　　　　② 설비, 기기 위생점검표
③ 대치식품표　　　　　④ 식품영양 구성표

[해설] 식단을 작성할 때에는 계절식품표, 대치식품표, 식품영양구성표를 구비하여야 하고, 식단표에는 요리명, 식재료, 중량, 대치식품, 단가 등을 표기해야 한다.

18 감자 보관 시 표면이 녹색으로 변하고 싹이 났다. 어떤 성분인가?

① 삭시톡신　　　　　　② 아플라톡신
③ 셉신　　　　　　　　④ 솔라닌

[해설] · 삭시톡신 – 섭조개
　　　 · 아플라톡신 – 땅콩 및 탄수화물이 많은 곡류
　　　 · 셉신 – 부패한 감자

19 다음 중 일반적으로 폐기율이 가장 높은 식품은?

① 소등심　　　　　　　② 달걀
③ 견과류　　　　　　　④ 감자

[해설] 소고기 부위 – 0%, 달걀 – 12%, 감자 – 5%, 견과류 – 30~35%

20 인수공통 감염병에 속하지 않는 것은?

① 광견병　　　　　　　② 탄저
③ 고병원성조류인플루엔자　④ 백일해

[해설] 백일해는 호흡기계 감염병이다.

21 폐기물 소각처리 시의 가장 큰 문제점은?

① 악취가 발생되며 수질이 오염된다.
② 다이옥신이 발생한다.
③ 처리방법이 불쾌하다.
④ 지반이 약화되어 균열이 생길 수 있다.

[해설] 폐기물 소각처리는 처리방법이 가장 위생적이지만 대기오염을 일으키는 다이옥신이 발생한다는 문제점이 있다.

22 국소진동으로 인한 질병 및 직업병의 예방 대책이 아닌 것은?

① 완충장치　　　　　　② 작업시간 조절
③ 방열복 착용　　　　　④ 보건교육

[해설] 방열복은 고열 또는 고온작업 시 착용한다.

23 공중보건사업과 거리가 먼 것은?

① 보건교육　　　　　　② 인구보건
③ 감염병 치료　　　　　④ 보건행정

[해설] 공중보건사업은 지역사회에서 사회적 노력을 통하여 질병을 예방하고 주민 모두의 건강을 유지하고 증진시키기 위한 기술이다.

24 식품위생 법령상 영업허가 대상인 업종은?

① 일반음식점영업　　　② 식품조사처리업
③ 식품소분판매업　　　④ 즉석판매 제조가공업

[해설] 허가를 받아야 하는 영업은 식품조사처리업, 단란주점영업, 유흥주점영업 이다.

25 식품위생의 대상에 해당되지 않는 것은?

① 철분 영양제　　　　　② 라면
③ 과자봉지　　　　　　④ 감미료

[해설] 식품이란 모든 음식물을 말하며, 의약으로 쓰이는 것은 예외로 한다.

26 오래된 과일이나 산성 채소 통조림에서 유래되는 화학성 식중독의 원인 물질은?

① 칼슘　　　　　　　　② 주석
③ 철분　　　　　　　　④ 아연

[해설] 주석도금한 통조림의 내용물 중 질산이온이 높은 경우에 캔으로부터 주석이 용출되어 중독을 일으키며 구토, 복통, 설사 증상을 보인다.

27 식품위생 대책에 대한 설명으로 틀린 것은?

① 한 번 가열 조리된 식품은 저장 시 미생물의 오염 염려가 없다.
② 젖은 행주에는 공기 중의 세균이나 곰팡이가 오염되어 온도가 높아지면 미생물이 증식하기 쉬우므로 사용 중에도 건조한 상태를 유지하도록 한다.
③ 식품 찌꺼기는 위생해충의 서식에 이용될 수 있으므로 철저히 처리한다.
④ 식품 취급자의 손은 식중독과 경구 감염병균의 침입 경로가 되므로 손의 수세 및 소독에 유의한다.

[해설] 식품은 가열했다 하더라도 저장 시 미생물의 오염이 있을 수 있다.

28 다음 중 위생 지표세균에 속하는 것은?

① 리조푸스균　　　　　② 캔디다균
③ 대장균　　　　　　　④ 페니실리움균

[해설] – 리조푸스균 : 곰팡이 종류
　　　 – 칸디다균 : 효모와 유사하게 생긴 불완전 균류

29 다음 중 위해요소중점관리기준(HACCP)을 수행하는 단계에 있어서 가장 먼저 실시하는 것은?

① 중점 관리점 규명
② 관리기준의 설정
③ 기록유지 방법의 설정
④ 식품의 위해요소를 분석

[해설] HACCP 7가지 원칙 중 1단계는 모든 잠재위해요소의 열거, 위해요소 분석, 관리 방법의 결정이다.

30 식품과 자연독의 연결이 틀린 것은?

① 독버섯 : 무스카린
② 감자 : 솔라닌
③ 살구씨 : 파세오루나틴
④ 목화씨 : 고시풀

[해설] 살구씨의 자연독은 아미그달린이다.

31 육류 조리 시의 향미 성분과 관계가 먼 것은?

① 핵산 분해물질
② 유기산
③ 유리아미노산
④ 전분

[해설] 육류 조리 시의 향미 성분 : 핵산분해 물질, 유기산, 유리아미노산

32 다음 중 근원섬유를 구성하는 단백질은?

① 헤모글로빈
② 콜라겐
③ 미오신
④ 엘라스틴

[해설] 섬유상 단백질의 미오신 함량은 가용성 단백질의 60%를 차지하고 소금에 녹는 성질이 있어 어묵의 형성에 이용된다.

33 지방의 산패를 촉진시키는 요인이 아닌 것은?

① 효소
② 자외선
③ 금속
④ 토코페롤

[해설] 토코페롤은 항산화제로 산패를 늦춘다.

34 음식물 섭취와 관련 없는 기생충은?

① 회충
② 사상충
③ 요충
④ 촌충

[해설] 사상충은 흡열곤충인 모기로부터 감염된다.

35 단체급식 시설의 작업장별 관리에 대한 설명으로 잘못된 것은?

① 개수대는 생선용과 채소용을 구분하는 것이 식중독균의 교차오염을 방지하는 데 효과적이다.
② 가열, 조리하는 곳에는 환기 장치가 필요하다.
③ 식품보관 창고에 식품을 보관 시 바닥과 벽에 식품이 직접 닿지 않게 하여 오염을 방지한다.
④ 자외선은 모든 기구와 식품 내부의 완전 살균에 매우 효과적이다.

[해설] 식품의 변질을 막기 위해 자외선을 피해 직사광선이 없는 곳에 보관하는 것이 좋다.

36 신선한 생선의 특징이 아닌 것은?

① 눈알이 밖으로 돌출된 것
② 아가미의 빛깔이 선홍색인 것
③ 복부가 수축되어 있는 것
④ 손가락으로 눌렀을 때 탄력성이 있는 것

[해설] 생선은 복부가 팽창되어 있는 것이 신선하다.

37 튀김옷에 대한 설명으로 잘못된 것은?

① 글루텐의 함량이 많은 강력분을 사용하면 튀김 내부에서 수분이 증발되지 못하므로 바삭하게 튀겨지지 않는다.
② 달걀을 넣으면 달걀 단백질이 열 응고됨으로써 수분을 방출하므로 튀김이 바삭하게 튀겨진다.
③ 식소다를 소량 넣으면 가열 중 이산화탄소를 발생함과 동시에 수분도 방출되어 튀김이 바삭해진다.
④ 튀김옷에 사용하는 물의 온도는 실온으로 해야 튀김옷의 점도를 높여 내용물을 잘 감싸고 바삭해진다.

[해설] 낮은 온도의 물이나 얼음물로 해야 글루텐 형성을 억제하여 바삭한 튀김이 된다.

38 기본적인 맛에 포함되는 것이 아닌 것은?

① 단맛
② 신맛
③ 매운맛
④ 쓴맛

[해설] 기본적인 맛에는 단맛, 신맛, 쓴맛, 짠맛이 포함된다.

39 한국인의 영양섭취기준에 의한 성인의 단백질 섭취량은 전체 열량의 몇 % 정도인가?

① 7~20%
② 20~35%
③ 75~90%
④ 90~100%

[해설] 한국인 영양섭취기준에서 단백질은 7~20%이다.

40 주방 설비를 할 때 물을 많이 사용하여 급·배수 시설이 중요하고, 냉장 보관시설이 잘 되어야 하는 곳은 어느 곳인가?

① 가열 조리 구역
② 식기 세척 구역
③ 육류 처리 구역
④ 채소·과일 처리 구역

[해설] 채소·과일은 물을 많이 사용하고, 냉장 보관하여야 한다.

41 다음 물질 중 소독의 효과가 가장 낮은 것은?

① 석탄산
② 중성세제
③ 크레졸
④ 알코올

[해설] 중성세제의 자체 살균력은 없다.

42 새우 소금구이 시 껍질은 붉은색으로 변하는데, 이 현상과 관련된 색소는?

① 루테인
② 멜라닌
③ 아스타잔틴
④ 구아닌

[해설] 새우나 게 같은 갑각류의 색소는 가열하면 회색인 아스타잔틴에서 적색의 아스타신이 된다.

43 다음 중 해조류에 대한 설명으로 맞는 것은?

① 해조류는 서양에서 많은 조리법이 발달되어 왔다.
② 해조류의 성분은 복합 다당류로 소화율은 떨어진다.
③ 파래의 특유한 향은 트리메틸아민에 의한 것이다.
④ 미역이나 다시마의 끈끈한 점액 성분은 제거하고 먹는 것이 좋다.

[해설] 해조류는 대부분이 식이섬유로 정장 작용과 콜레스테롤 등의 배설 작용을 한다.

44 정육면체로 사방 2㎝의 크기를 말하며 스튜나 샐러드 조리에 사용하는 양식 썰기는 어떤 썰기를 말하는 것인가?

① 큐브(Cube)   ② 다이스(Dice)

③ 쥘리엔(Julienne)   ④ 슬라이스(Slice)

45 양식 조리에서 자르거나 가는 용도로 사용하지 않는 도구는?

① 에그 커터(Egg cutter)   ② 래들(Ladle)

③ 제스터(Zester)   ④ 커터(Assorted cutter)

[해설] 래들(Ladle)은 국자 형태로 육수나 소스 등을 뜰 때 사용하는 도구이다.

46 다음 중 사용 용도가 다른 것은?

① 샐러맨더(Salamander)

② 샌드위치 메이커(Sandwich maker)

③ 스팀 케틀(Steam kettle)

④ 그릴(Grill)

[해설] 스팀 케틀(Steam kettle)은 대용량의 음식물을 끓이거나 삶는 데 사용한다.

47 다음 중 잘못된 계량 단위는?

① 1ts – 1테이블스푼   ② 1oz – 28.35g

③ 0.5L – 500㎖   ④ 1c – 계량컵으로 1컵

[해설] 1ts – 1티스푼

48 육류, 어류와 함께 향신 채소나 향신료를 넣고 풍미가 있는 육수를 내는 것으로 수프나 소스의 기초가 되는 것은?

① 루(Roux)   ② 뵈르 마니에(Beurre Manie)

③ 스톡(stock)   ④ 미르포아(Mirepoix)

49 일반적으로 부케가르니(Bouquet garni)에 들어가는 재료가 아닌 것은?

① 통후추   ② 파슬리 줄기

③ 월계수잎   ④ 생강

[해설] 일반적으로 부케가르니에는 파슬리, 월계수잎, 정향, 타임, 로즈메리 등의 향신료와 통후추, 셀러리 등의 향신 채소를 실로 묶거나 고정하여 사용한다.

50 스톡 조리법으로 맞지 않는 것은?

① 센 불에서 물이 끓으면 재료를 넣고 불을 줄인다.

② 스톡의 온도가 섭씨 약 90℃를 유지하도록 은근히 끓여준다.

③ 스톡에는 소금 등의 간을 하지 않는다.

④ 거품 및 불순물은 스키머(skimmer)로 제거해 주어야 한다.

[해설] 뜨거운 물에 재료를 넣게 되면 불순물이 빨리 굳어지고 맛이 우러나지 못한다.

51 다음 중 농후제로 맞지 않는 것은?

① 전분   ② 스톡

③ 달걀   ④ 버터

[해설] 스톡은 맑은 육수로 농도 조절이 가능하지 않다.

52 전채요리가 아닌 것은?

① 오르되브르   ② 칵테일

③ 수플레   ④ 렐리시

[해설] 수플레는 달걀의 흰자에 우유를 섞어 거품을 일게 하여 구워 만든 디저트 음식이다.

53 소고기 부위 중 스테이크로 사용할 수 없는 것은?

① 등심   ② 갈비

③ 목심   ④ 양지

[해설] 양지 부위는 질기기 때문에 콘비프나 스튜처럼 오래 끓여야 한다.

54 다음 치즈들 중 성격이 다른 것은?

① 그라나 파다노   ② 체다 슬라이스

③ 파르미지아노 레지아노   ④ 고르곤졸라

[해설] 체다 슬라이스 치즈는 가공된 치즈다.

55 달걀의 한쪽 면만 익힌 것으로 달걀노른자가 떠오르는 태양과 같다고 해서 붙여진 이름을 가진 요리명은?

① 서니 사이드 업   ② 오버 이지

③ 오믈렛   ④ 오버 미디엄

56 샌드위치를 형태에 따라 분류했다. 분류 형태가 다른 것은?

① 오픈 샌드위치   ② 콜드 샌드위치

③ 롤 샌드위치   ④ 클럽 샌드위치

[해설] 콜드 샌드위치는 샌드위치의 온도에 따라 구분한 것이다.

57 디저트의 3요소가 아닌 것은?

① 감미   ② 과일

③ 풍미   ④ 향신료

[해설] 디저트의 3요소는 감미, 풍미, 과일로 이루어진다.

58 다음 중 콜드 디저트가 아닌 것은?

① 무스(Mousse)   ② 젤리(Jelly)

③ 그라탕(Gratin)   ④ 과일 콤포트(Fruit comport)

[해설] 그라탕(Gratin)은 핫 디저트에 속한다.

59 다음 중 핑거푸드에 들어가지 않는 메뉴는?

① 쿠키   ② 핫도그

③ 춘권   ④ 피자

[해설] 쿠키는 손으로 먹지만, 핑거푸드류에서는 제외된다.

정답 44. ①   45. ②   46. ③   47. ①   48. ③   49. ④   50. ①   51. ②   52. ③   53. ④   54. ②   55. ①   56. ②   57. ④   58. ③   59. ①

60 다음 디저트에서 코크(Coque), 피에(Pied), 필링(Filling)으로 각각의
이름이 있는 것은?

① 몽블랑　　　　　　　　　② 마카롱

③ 밀푀유　　　　　　　　　④ 에끌레르

[해설]　– 마카롱으로 코크는 껍질을 의미하며 크림을 뺀 쿠키 부분이다.
　　　　– 피에는 발을 의미하며 코크에서 아랫부분의 레이스 부분이다.
　　　　– 필링은 코크 사이에 들어가는 크림을 말하며, 마카롱의 맛을 좌우하는
　　　　　중요한 부분이다.

정답　60. ②

01 식품의 부패 정도를 측정하는 지표로 가장 거리가 먼 것은?

① 휘발성 염기질소　　　② 트리메틸아민
③ 수소이온농도　　　　④ 총 질소

[해설] 총 질소는 우리나라의 수질오염 측정방법이다.

02 식육 및 어육 등의 가공육 제품의 육색을 안정하게 유지하기 위하여 사용되는 식품첨가물은?

① 아황산나트륨　　　　② 질산나트륨
③ 규소수지　　　　　　④ 탄산수소나트륨

[해설] ※ 식육제품 및 어육, 햄 등의 발색제는 아질산나트륨, 질산나트륨, 질산칼륨 등이 있다.
　　　① 아황산나트륨 – 신선도 유지
　　　③ 규소수지 – 기포 제거
　　　④ 탄산수소나트륨 – 산도 조절제

03 생선 및 육류의 초기부패 판정 시 지표가 되는 물질에 해당되지 않는 것은?

① 휘발성 염기질소　　　② 암모니아
③ 트리메틸아민　　　　④ 아크롤레인

[해설] 아크롤레인은 담배 연기 속에 들어있는 성분으로, 발연점 이상의 유지를 고온 가열하여 발생시킨다.

04 클로스트리디움 보툴리눔 식중독을 일으키는 원인은?

① 통조림　　　　　　　② 채소류
③ 과일류　　　　　　　④ 서류

[해설] 클로스트리디움 보툴리눔균은 살균이 덜 된 통조림, 병조림, 소시지 등에서 생성된다.

05 일반 가열조리법으로 예방하기 가장 어려운 식중독은?

① 살모넬라에 의한 식중독
② 웰치균에 의한 식중독
③ 황색포도상구균에 의한 식중독
④ 병원성 대장균에 의한 식중독

[해설] 황색포도상구균 식중독의 원인독소인 엔테로톡신은 열에 강해 120℃에서 20분간 가열해도 파괴되지 않아 일반 가열조리법으로 예방하기 어렵다.

06 집단 식중독 발생 시 처치사항으로 잘못된 것은?

① 원인식을 조사한다.
② 구토물 등의 원인균 검출에 필요하므로 버리지 않는다.
③ 해당 기관에 즉시 신고한다.
④ 위장약을 복용시킨다.

[해설] 위장약 복용은 적절한 조치가 아니다.

07 130~140℃에서 1~2초간 가열하는 살균방법은?

① 초고온순간살균법　　② 고압증기멸균법
③ 고온단시간살균법　　④ 저온살균법

[해설] – 고압증기멸균법 : 고압증기멸균기를 사용하여 121℃에서 15~20분간 노출
　　　– 고온단시간살균법 – 70~75℃에서 15~30초간 살균
　　　– 저온살균법 – 61~65℃에서 약 30분간 살균

08 예방접종이 감염병 관리상 갖는 의미는?

① 병원소의 제거　　　　② 감염원의 제거
③ 환경의 관리　　　　　④ 감수성 숙주의 관리

[해설] 감염병의 대책에는 감수성 숙주의 대책(예방접종 실시), 감염경로의 대책(감염경로 차단), 감염원의 대책(환자의 조기발견, 격리)이 있다.

09 폐흡충증의 제2중간숙주는?

① 잉어　　　　　　　　② 연어
③ 가재　　　　　　　　④ 송어

[해설] 폐흡충증(페디스토마)의 제1중간숙주는 다슬기, 제2중간숙주는 가재, 게, 종말숙주는 사람이다.

10 카드뮴이나 수은 등의 중금속 오염 가능성이 가장 큰 식품은?

① 육류　　　　　　　　② 어패류
③ 통조림　　　　　　　④ 우유

[해설] 수질 등의 환경오염으로 인한 중금속 중독 증상 – 수은 감염된 어패류 섭취 시

11 집단감염이 잘되며 항문 부위의 소양증을 유발하는 기생충은?

① 회충　　　　　　　　② 구충
③ 요충　　　　　　　　④ 간흡충

[해설] 요충은 채소류에서 감염되는 기생충이다. 직장 속이나 항문 근처에서 산란하며, 항문 부위의 소양증을 발생시키고 전염 속도가 빠르다.

12 전염병의 예방대책과 거리가 먼 것은?

① 병원소의 제거　　　　② 환자의 격리
③ 식품의 저온 보존　　　④ 예방접종

[해설] 식품의 저온 보존은 식중독 예방대책이다.

13 후천성 면역결핍증(HIV) 감염 경로가 아닌 것은?

① 경구감염　　　　　　② 혈액
③ 성행위　　　　　　　④ 모자감염

[해설] 경구감염은 입을 통해 병원체가 침입하게 된다.

14 식품첨가물이 갖추어야 할 조건으로 옳지 않은 것은?

① 식품에 나쁜 영향을 주지 않을 것
② 다량 사용하였을 때 효과가 나타날 것
③ 상품의 가치를 향상시킬 것
④ 식품 성분 등에 의해서 그 첨가물을 확인할 수 있을 것

[해설] 식품첨가물은 소량으로 그 사용목적을 달성할 수 있어야 한다.

정답　01. ④　02. ②　03. ④　04. ①　05. ③　06. ④　07. ①　08. ④　09. ③　10. ②　11. ③　12. ③　13. ①　14. ②

15 식품위생법상 영업의 신고대상 업종이 아닌 것은?

① 일반음식점영업   ② 단란주점영업
③ 휴게음식점영업   ④ 식품제조 · 가공업

[해설] 단란주점영업 및 유흥주점영업은 영업허가를 받아야 할 업종이다.

16 집단급식소를 설치, 운영하려는 자의 식품위생교육 시간은?

① 4시간   ② 6시간
③ 8시간   ④ 12시간

[해설] – 식품제조 · 가공업, 즉석판매제조 · 가공업 및 식품첨가물제조업 : 8시간
     – 식품운반업, 식품소분 및 판매, 식품보존업, 용기 및 포장제조업 : 4시간
     – 식품접객업, 집단급식소 운영 : 6시간

17 공중보건사업을 하기 위한 최소 단위가 되는 것은?

① 가정   ② 개인
③ 시 · 군 · 구   ④ 국가

[해설] 개인이 아니라 집단으로, 우리나라는 1956년 보건소법 제정 이후 보건소 조직망을 통해 예방 사업을 진행하면서 시 · 군 · 구, 각 도마다 식품위생 행정기구를 두고 있다.

18 다수인이 밀집한 장소에서 발생하며 화학적 조성이나 물리적 조성의 큰 변화를 일으켜 불쾌감, 두통, 권태, 현기증, 구토 등의 생리적 이상을 일으키는 현상은?

① 빈혈   ② 일산화탄소 중독
③ 분압현상   ④ 군집독

[해설] 산소 부족, 이산화탄소 증가, 고온 · 고습상태에서의 유해가스 및 구취 등에 의해 복합적으로 발생한다.

19 한 나라의 보건 수준이나 생활수준을 나타내는데 가장 많이 이용되는 지표는?

① 영아사망률   ② 조사망률
③ 병상이용률   ④ 실비보험 가입자 수

[해설] 영아의 생존이 모체의 건강상태, 양육조건 등의 영향을 강하게 받으므로, 영아사망률은 그 지역의 위생상태의 좋고 나쁨, 더 나아가서는 생활수준을 반영하는 중요한 지표의 하나가 된다.

20 생활쓰레기의 분류 중 부엌에서 나오는 동 · 식물성 유기물은?

① 주개   ② 가연성 진개
③ 불연성 진개   ④ 재활용 진개

[해설] 생활쓰레기의 분류 중 부엌에서 나오는 동 · 식물성 유기물은 가정에서 나오는 주개이다.

21 다음 중 음료수 소독에 가장 적합한 것은?

① 생석회   ② 알코올
③ 염소   ④ 승홍수

[해설] 염소 소독법은 소독력이 강하고, 잔류성이 크고, 가격이 저렴해서 물 소독 (음료수 소독)에 가장 적합하다.

22 식재료를 필요한 형태로 써는 기계는?

① 교반기   ② 제빙기
③ 튀김기   ④ 절단기

23 강화식품에 대한 설명으로 틀린 것은?

① 식품에 원래 적게 들어있는 영양소를 보충한다.
② 식품의 가공 중 손실되기 쉬운 영양소를 보충한다.
③ 강화영양소로 비타민 A, 비타민 B, 칼슘(Ca) 등을 이용한다.
④ α 화 쌀은 대표적인 강화식품이다.

[해설] 알파미는 인스턴트 밥, 휴대식 등의 즉석식품을 말한다.

24 게, 가재, 새우 등의 껍질에 다량 함유된 키틴의 구성 성분은?

① 다당류   ② 단백질
③ 지방질   ④ 무기질

[해설] 키틴은 절지동물의 딱딱한 표피나 껍질의 골격을 만들며, 균류 세포벽의 중요한 구성요소이다. 키틴은 아미노당으로 이루어진 다당류이다.

25 다음 채소류 중 일반적으로 꽃 부분을 식용으로 하는 것과 거리가 먼 것은?

① 브로콜리   ② 콜리플라워
③ 래디시   ④ 아티초크

[해설] 래디시의 붉은 뿌리 부분은 무와 같이 취급한다.

26 탄수화물이 아닌 것은?

① 젤라틴   ② 펙틴
③ 섬유소   ④ 글리코겐

[해설] 젤라틴은 동물의 가죽, 힘줄, 연골 등에서 추출하는 유도 단백질의 일종이다.

27 쌀의 도정도가 증가할 때 나타나는 현상은?

① 조리시간이 증가한다.
② 소화율이 낮아진다.
③ 영양분이 증가한다.
④ 색이 좋아지며 알갱이가 매끈해진다.

[해설] 도정도가 높아질수록 영양소는 적어지고 소화율은 높아지며 알갱이가 매끈해지고 색이 투명해진다.

28 매운맛 성분과 소재식품의 연결이 올바르게 된 것은?

① 알릴이소티오시아네이트 – 겨자
② 캡사이신 – 마늘
③ 진저롤 – 고추
④ 채비신 – 생강

[해설] 캡사이신은 고추, 진저롤은 생강, 채비신은 후추의 매운 맛 성분이다.

29 감칠맛 성분과 소재식품의 연결이 잘못된 것은?

① 베타인 – 오징어, 새우
② 크레아티닌 – 어류, 육류
③ 카노신 – 육류, 어류
④ 타우린 – 버섯, 죽순

[해설] 타우린은 감칠맛을 내는 아미노산의 일종으로, 오징어, 문어, 조개류 등에 들어있는 성분이다. 버섯에는 구아닐산, 죽순에는 글루타민산이 들어있다.

30 다음의 맛 성분과 식품연결이 맞지 않은 것은?

① 나린진 – 자몽　　　　② 케르세틴 – 맥주
③ 쿠쿠르비타신 – 오이　④ 사포닌 – 도라지

[해설] 케르세틴은 양파 껍질에 풍부하다.

31 신맛 성분과 주요 소재식품의 연결이 틀린 것은?

① 초산 – 식초　　　　② 젖산 – 김치류
③ 구연산 – 시금치　④ 주석산 – 포도

[해설] 구연산의 소재식품은 감귤류, 딸기, 살구 등이다.

32 다음 중 열량을 내지 않는 영양소로만 짝지어진 것은?

① 단백질, 당질　　② 당질, 지질
③ 비타민, 무기질　④ 지질, 비타민

[해설] 열량을 내는 3대 영양소는 탄수화물, 단백질, 지방이다.

33 다음의 치즈 중 숙성시켜 먹는 치즈인 것은?

① 코티지 치즈　　② 카망베르 치즈
③ 리코타 치즈　　④ 크림 치즈

[해설] 카망베르 치즈는 특유의 하얀 곰팡이가 외관을 덮고 있는 프랑스의 대표적인 치즈 중 하나.

34 알코올 1g당 열량 산출 기준은?

① 0kcal　　② 4kcal
③ 7kcal　　④ 9kcal

[해설] 알코올 1g당 열량은 7kcal, 탄수화물 1g당 열량 4kcal, 단백질 1g당 열량 4kcal, 지방 1g당 열량 9kcal이다.

35 칼슘 부족으로 생기는 결핍증은?

① 빈혈　　　② 우치증
③ 어지럼증　④ 골다공증

[해설] – 빈혈 : 철분 결핍
　　　– 우치 : 불소 결핍

36 유지의 산패에 영향을 미치는 인자가 아닌 것은?

① 광선　　　　　② 수분
③ 지방산의 탄소수　④ 온도

[해설] 유지류의 산패는 온도, 빛, 공기 중의 노출, 이물질 등에 의한다.

37 다음 중 영양소의 손실이 가장 큰 조리법은?

① 바삭바삭한 튀김을 위해 튀김옷에 중조를 첨가한다.
② 푸른 채소를 데칠 때 약간의 소금을 첨가한다.
③ 감자를 껍질째 삶은 후 절단한다.
④ 쌀을 담가 놓았던 물을 밥물로 사용한다.

[해설] 튀김 조리 시, 소량의 중조를 첨가하면 튀김 표면을 빨리 건조시켜 바삭한 맛은 낼 수 있지만, 비타민의 손실은 크다.

38 서양요리 조리방법 중 습열조리와 거리가 먼 것은?

① 브로일링　　② 스티밍
③ 보일링　　　④ 시머링

[해설] 브로일링은 굽기, 스티밍은 찌기, 보일링은 끓이기, 시머링은 은근히 끓이기를 의미한다.

39 다음 중 단체급식의 목적이 아닌 것은?

① 급식영업을 통한 운영자의 이익 창출
② 급식 대상자의 영양 개선
③ 급식 대상자의 식비 절감
④ 연대감을 통한 사회성 함양

[해설] 이익 창출은 일반식당의 목적이다.

40 주방에서 후드(Hood)의 가장 중요한 기능은?

① 실내의 습도를 유지시킨다.
② 실내의 온도를 유지시킨다.
③ 증기, 냄새 등을 배출시킨다.
④ 바람을 들어오게 한다.

[해설] 증기, 냄새는 배출시키고 바람은 들어오게 하는 환기 장치

41 강력분을 사용하지 않는 것은?

① 케이크　　② 식빵
③ 마카로니　④ 피자

[해설] 케이크는 강력분이 아닌 박력분을 사용한다.

42 밀가루로 빵을 만들 때 첨가하는 다음 물질 중 글루텐 형성을 도와주는 것은?

① 설탕　　② 지방
③ 중조　　④ 달걀

[해설] 달걀은 가열에 의해 달걀 단백질이 응고되면서 글루텐의 형성을 도와 빵의 모양을 유지하고, 빵맛과 색을 좋게 한다.

43 조리대 배치 형태 중 환풍기와 후드의 수를 최소화할 수 있는 것은?

① 일렬형　　② 병렬형
③ ㄷ자형　　④ 아일랜드형

[해설] 아일랜드형은 개수대나 가열대 또는 조리대가 독립되어 있는 형태로, 조리기기를 한곳으로 모아 놓았기 때문에 환풍기나 후드의 수를 최소한으로 줄일 수 있다.

44 구매한 식품의 재고관리 시 적용되는 방법 중 최근에 구입한 식품으로부터 사용하는 것으로 가장 오래된 물품이 재고로 남게 되는 것은?

① 선입선출법　　② 후입선출법
③ 총평균법　　　④ 최소 – 최대관리법

[해설] 후입선출법은 최근에 구입한 재료부터 먼저 사용하는 방법으로, 선입선출법과 정반대이다.

정답　30. ②　31. ③　32. ③　33. ②　34. ③　35. ④　36. ③　37. ①　38. ①　39. ①　40. ③　41. ①　42. ④　43. ④　44. ②

45 색소체에 대한 설명으로 잘못된 것은?

① 클로로필과 카로티노이드는 지용성으로 색소체에 존재한다.
② 클로로필은 덜 익은 과일 등에서 발견된다.
③ 플라보노이드는 액포에 존재하는 노란색 계통의 색소체이다.
④ 안토시아닌, 카테킨은 넓은 의미의 카로티노이드색소에 속한다.

[해설] – 안토시아닌, 카테킨은 넓은 의미의 플라보노이드 색소에 속한다.
　　　 – 카로티노이드 색소류는 베타카로틴, 라이코펜, 루테인 등이 있다.

46 고기를 연화시키는 단백질 분해 효소로 맞는 것은?

① 파인애플 – 브로멜린　　② 파파야 – 피신
③ 무화과 – 액티니딘　　　④ 키위 – 파파인

[해설] 파인애플 – 브로멜린, 파파야 – 파파인, 무화과 – 피신, 키위 – 액티니딘

47 가축의 종류와 연령, 근육 부위에 따라 함량이 달라지는 동물성 색소는?

① 헤모글로빈　　　　　② 알부민
③ 멜라닌　　　　　　　④ 미오글로빈

[해설] – 헤모글로빈 : 혈색소
　　　 – 알부민 : 동식물의 세포질과 조직에 존재하는 수용성 단백질
　　　 – 멜라닌 : 대부분의 생물체에 존재하는 색소

48 어패류에 대한 설명으로 틀린 것은?

① 어패류는 산란기가 가장 맛있다.
② 어류의 등과 배 쪽의 경계 부위를 혈합육이라 하는데 대구, 민어, 광어, 명태 등 흰살 생선에 많다.
③ 어류가 육류보다 결합조직의 양이 적어 부드럽다.
④ 어류의 비린내 성분인 표면 점액 물질은 트릴메틸아민으로 수용성이다.

[해설] 고등어, 정어리와 같이 대표적인 붉은 살 어류는 전 근육 중 혈합육이 10 ~15%를 차지한다.

49 프랑스 세계적인 미식재료 3가지가 아닌 것은?

① 고르곤졸라　　　　　② 프와그라
③ 캐비어　　　　　　　④ 트뤼플

[해설] 고르곤졸라는 이탈리아의 대표적인 블루치즈로 녹색의 가느다란 줄무늬가 있다.

50 써는 방식이 다른 하나는?

① 다이스(Dice)　　　　　② 스몰 다이스(Small dice)
③ 올리베트(Olivette)　　　④ 브뤼누아즈(Brunoise)

[해설] 올리베트(Olivette) – 올리브 형태로 깎는 것을 말한다.

51 채소나 치즈 등을 원하는 형태로 가는 도구는?

① 롤 커터(Roll cutter)　　② 그레이터(Grater)
③ 시노와(Chinois)　　　　④ 믹싱 볼(Mixing bowl)

[해설] – 롤 커터(Roll cutter) : 피자 등을 자를 때 사용
　　　 – 시노와(Chinois) : 스톡이나 소스를 고운 형태로 거를 때 사용하는 도구
　　　 – 믹싱 볼(Mixing bowl) : 재료를 담거나 섞을 때 사용

52 건식열 조리법이 아닌 것은?

① Broiling　　　　　② Sauteing
③ Griling　　　　　 ④ Blanching

[해설] Blanching – 물이나 기름에 데치는 방법

53 스톡의 향을 강화하기 위한 양파, 당근, 셀러리의 혼합물을 무엇이라 부르는가?

① 부케가르니　　　　② 미르포아
③ 화이트 스톡　　　　④ 스톡 포트

[해설] ※ 미르포아
　　　 기본적으로는 양파 : 당근 : 셀러리 = 50% : 25% : 25%의 비율로 사용한다.

54 전채요리의 요건이 아닌 것은?

① 맛과 짠맛이 침샘을 자극해서 식욕을 돋우어야 한다.
② 크기를 작게 하고 모양과 색에서 아이디어와 예술적 감각이 돋보여야 한다.
③ 세계적으로 유명한 식재료를 사용해야 한다.
④ 조리법이 겹치지 않게 다양한 조리법으로 만들어야 한다.

[해설] 지역의 특성과 계절에 맞는 다양한 식재료를 사용해야 한다.

55 파스타 삶는 방법으로 잘못된 것은?

① 냄비는 깊이가 있어야 하며 물은 파스타 양의 10배 정도가 적당하다.
② 약간의 소금 첨가는 파스타의 풍미를 살리고 면에 탄력을 준다.
③ 알덴테는 입안에서 씹히는 정도가 느껴질 정도로 삶는 것을 말한다.
④ 삶은 파스타면은 찬물에 잘 헹구고 올리브유를 발라 놓는다.

[해설] 파스타면은 찬물로 헹구게 되면 표면이 매끄러워져 소스가 면에 흡수되지 않기 때문에 삶아서 건져 놓는다.

56 조찬용 조리빵이 아닌 것은?

① 팬케이크　　　　　② 잉글리시 머핀
③ 와플　　　　　　　④ 프렌치토스트

57 다음 중 얼려먹는 디저트가 아닌 것은?

① 파르페(Parfait)　　　　② 그라니타(Granita)
③ 크렘 브륄레(Crme brle)　④ 카사타(Cassata)

[해설] 크렘 브륄레(Crme brle) : 크림 커스터드 반죽을 익힌 후 냉장 보관하여 제공하기 전 위에 설탕을 얇게 골고루 뿌린 다음, 토치로 열을 가해 캐러멜 토핑을 만든 후 제공하거나 리큐르를 뿌려 플람베 하기도 한다.

58 정식 메뉴(Table d'hote menu: 타블 도트)에 대한 설명으로 맞지 않는 것은?

① 메뉴 관리가 용이하다.
② 신속한 서비스로 좌석 회전율을 높일 수 있다.
③ 조리 과정이 일정하여 업무 흐름이 원활하다.
④ 숙련된 조리사가 필요하다.

[해설] 숙련된 조리사가 필요하며, 서비스 요원의 전문화가 필요하며 인건비가 높은 것은 일품요리(A la carte) 메뉴이다.

59 주방 장비의 조건에 해당되지 않는 것은?

① 위생성　　　　　　② 안전성
③ 생산성　　　　　　④ 구조 변경성

60 판매 관리비가 아닌 것은?

① 판매원 급여 및 수당　　② 판매 수수료
③ 세금과 공과　　　　　　④ 차량 유지비

[해설] 세금과 공과는 일반 관리비에 속한다.

정답　59. ④　60. ③

01 결합수에 대한 설명으로 옳지 않은 것은?

① 자유수보다 밀도가 크다.
② 미생물의 번식에 이용이 불가능하다.
③ 미생물의 번식에 이용이 가능하다.
④ 용매로 작용할 수 없다.

[해설] 미생물의 번식에 이용이 가능한 것은 자유수다.

02 어패류의 관능적 감별법이 맞지 않는 것은?

① 아가미 - 색이 선명한 적색으로 단단한 것
② 복부 - 손으로 눌러 탄력이 있고 빳빳하며 외형이 보존된 것
③ 안구 - 광채가 있고 돌출되며 투명한 것
④ 패류 - 조갯살을 만져 봐서 연하고 말캉한 것

[해설] 패류는 탄력이 있고 단단하며 살아있는 것을 고른다.

03 다음 중 육류에 대한 설명으로 맞는 것은?

① 육류의 결합조직은 콜라겐만으로 이루어져 있다.
② 쇠고기의 등심 부위에 있는 마블링은 식육을 쫄깃하게 하는 근육섬유이다.
③ 육류에 포함되어 있는 헴철은 채소에 있는 비헴철에 비해 약 10배 정도 체내 흡수가 잘된다.
④ 쇠고기는 사후경직 때 먹어야 신선도를 유지해 맛이 좋다.

04 다음 중 육류의 연화에 대한 설명으로 맞지 않는 것은?

① 다지거나 망치로 두드리는 기계적 방법
② 과일과 채소의 효소 첨가
③ 1% 내외의 염 첨가
④ 충분한 양의 산 첨가

[해설] 약간의 산 첨가는 수화력 증가로 연화되지만 많이 첨가하게 되면 단단해진다.

05 식품첨가물에 대한 설명으로 틀린 것은?

① 식품의 변질을 방지하기 위한 것이다.
② 식품제조에 필요한 것이다.
③ 식품의 기호성 등을 높이는 것이다.
④ 우발적 오염물을 포함한다.

[해설] 식품첨가물은 안전하고 위생적이어야 하며 기호성을 좋게 하기도 한다.

06 독성 성분이 맞게 짝지어진 것은?

① 테트로도톡신 - 복어의 난소, 간, 피부, 내장
② 삭시톡신 - 굴, 바지락
③ 무스카린 - 감자의 싹
④ 베네루핀 - 독버섯

[해설] · 삭시톡신 - 홍합, 대합
· 무스카린 - 독버섯
· 베네루핀 - 모시조개, 굴, 바지락

07 가열조리가 식품에 미치는 영향이 아닌 것은?

① 영양성분의 보존   ② 향미 성분 증진
③ 선명한 색상 유지   ④ 소화력을 돕는다.

[해설] 가열조리 시 대부분의 경우는 영양소 보존이 어렵다.

08 HACCP의 의무적용 대상 식품에 해당하지 않는 것은?

① 빙과류   ② 껌류
③ 비가열 음료   ④ 레토르트식품

[해설] ※ HACCP의 의무적용 대상 식품
- 어육가공품 중 어묵류
- 냉동수산식품 중 어류, 연체류, 조미가공품
- 냉동식품 중 피자류, 만두류, 면류
- 빙과류
- 비가열음료
- 레토르트식품
- 김치류 중 배추김치

09 다음 중 열량을 내지 않는 영양소로만 짝지어진 것은?

① 단백질, 당질   ② 당질, 지질
③ 비타민, 무기질   ④ 지질, 비타민

[해설] 열량을 내는 3대 영양소는 탄수화물, 단백질, 지방이다.

10 식품과 유독 성분의 연결이 잘못된 것은?

① 감자 - 셉신   ② 맥각 - 에르고톡신
③ 복어 - 테트로도톡신   ④ 면실유 - 삭시톡신

[해설] 면실유 - 고시폴

11 체내에서 흡수되면 신장의 재흡수 장애를 일으켜 칼슘 배설을 증가시키는 중금속은?

① 납   ② 수은
③ 비소   ④ 카드뮴

[해설] 카드뮴의 증기를 흡입하는 경우 코, 목구멍, 폐, 위장, 신장의 장애가 나타나며 이타이이타이병의 원인이다.

12 미생물이 자라는데 필요한 조건이 아닌 것은?

① 온도   ② 수분
③ 햇빛   ④ 영양분

[해설] 미생물 중에는 햇빛이 필요 없는 혐기성 미생물도 있다.

13 감자, 고구마 등의 식품에 싹이 트는 것을 억제하는 효과가 있는 것은?

① 방사선 살균법   ② 일광 소독법
③ 적외선 살균법   ④ 자외선 살균법

[해설] 방사선 조사는 살균, 살충, 발아를 목적으로 방사선을 식재료에 조사하여 살균하는 방법

14 조리 중 껍질, 뼈, 씨 등 버려지는 부분을 말하는 것은?

① 정미량　　　　　　　② 폐기율

③ 정미율　　　　　　　④ 폐기량

[해설] 폐기량은 식재료의 정확한 발주를 위해 반드시 필요하다.

15 버터의 수분 함량이 20%라면, 버터 20g은 몇 칼로리(kcal) 정도의 열량을 내는가?

① 61.6kcal　　　　　　② 144kcal

③ 153.6kcal　　　　　④ 180.0kcal

[해설] 버터 20g 중 수분이 20%이므로, $20 \times 9 \times 0.80 = 144$kcal 가 된다.

16 황변미 중독을 일으키는 오염원은?

① 곰팡이　　　　　　　② 기생충

③ 효모　　　　　　　　④ 세균

[해설] 쌀에 Penicillium 속의 곰팡이가 번식하면 황색 또는 적홍색 물질을 생산하여 곡립이 황색 또는 황갈색으로 착색하여 황변미라고 불리는 병변미를 만든다.

17 단팥죽에 약간의 소금을 첨가하여 맛을 상승시키는 현상은?

① 맛의 대비　　　　　　② 맛의 상쇄

③ 맛의 변조　　　　　　④ 맛의 억제

18 육류의 직화구이 및 훈연 중에 발생하는 발암물질은?

① 벤조피렌(Benzopyrene)　　② 니트로사민(N-nitrosamine)

③ 아크롤레인(acrolein)　　　④ 아크릴아마이드(Acrylamide)

[해설] 벤조피렌(Benzopyrene)은 가열처리나 훈제공정에 의한 것으로 석탄의 타르 중에 존재하는 발암성물질이다.

19 식품위생수준 및 자질 향상을 위하여 조리사 및 영양사에게 교육받을 것을 명할 수 있는 자는?

① 시장·군수·구청장　　② 식품의약품안전청장

③ 보건소장　　　　　　④ 보건복지부장관

20 일반음식점을 개업하기 위하여 수행하여야 할 사항과 관할 관청으로 올바른 것은?

① 영업신고 – 특별자치도·시·군·구청

② 영업허가 – 지방식품의약품안전청

③ 영업신고 – 지방식품의약품안전청

④ 영업허가 – 특별자치도·시·군·구청

21 조리사 또는 영양사 면허의 취소처분을 받고 그 취소된 날로부터 얼마가 경과되어야 면허를 받을 자격이 있는가?

① 1개월　　　　　　　② 6개월

③ 1년　　　　　　　　④ 2년

22 다음 중 식품의 가공 중에 형성되는 독성 물질은?

① nitrosoamine　　　　② tetrodotoxin

③ solanine　　　　　　④ trypsin inhibitor

[해설] – 니트로소아민 : 아민의 수용액 등에 아질산을 작용시켜 얻게 되며 발암성이 있다.
– 테트로톡신 : 복어
– 솔라닌 : 감자
– 트립신인히비터 : 트립신의 효소 활성을 저해하는 물질

23 한천의 용도가 아닌 것은?

① 소시지의 산화 방지제　　② 양갱의 겔화제

③ 아이스크림의 안정제　　④ 세균의 배지

[해설] 한천은 응고력이 강하고, 잘 부패하지 않으며, 물과의 친화성이 좋아 형태유지 능력이 크기 때문에 젤리·잼 등의 과자와 아이스크림의 식품가공에 많이 이용되며, 세균의 작용으로 잘 분해되지 않기 때문에 세균배양용으로도 쓰인다.

24 간장이나 된장의 착색은 주로 어떤 반응이 관계하는가?

① 캐러멜(Caramel)화 반응

② 아스코르빈산(Ascorbic acid) 산화 반응

③ 아미노 카르보닐(Aminocarbonyl) 반응

④ 페놀(Phenol) 반응

[해설] 아미노기를 갖는 화합물과 카르보닐화합물이 가열에 의해 복잡한 반응을 일으킨 결과 멜라노이딘이라고 하는 갈색물질을 만드는 것이다.

25 전분의 호화에 대한 설명 중 틀린 것은?

① 전분의 입자가 클수록 빨리 호화된다.

② 산 첨가는 가수분해를 일으켜 호화를 촉진시킨다.

③ 찹쌀밥은 한 번 호화되면 오랫동안 점성을 유지한다.

④ 쌀은 감자보다 호화온도가 높다.

[해설] 쌀의 전분입자는 감자의 전분입자보다 작기 때문에 호화시간과 온도가 더 필요하다.

26 유지를 유화시켰다. 수중 유적형이 아닌 것은?

① 우유　　　　　　　　② 아이스크림

③ 버터　　　　　　　　④ 마요네즈

[해설] 버터와 마가린은 유중 수적형이다.

27 단체급식에서 갈치구이를 할 때 정미중량 50g을 조리하려면 1인당 발주량은 얼마인가?(단, 갈치의 폐기율은 32%이다.)

① 43　　　　　　　　　② 67

③ 87　　　　　　　　　④ 74

[해설] (정미중량×100 / 100-폐기율)×인원수
(50×100/100-32)×1 = 5000/68×1 = 73.53

28 직접 가열하는 급속해동법이 많이 이용되는 것은?

① 생선류　　　　　　　② 반조리 식품

③ 육류　　　　　　　　④ 닭다리

[해설] 육류나 생선을 해동시키면 육즙이 근육조직에서 분리되어 나오는데 급속해동 시엔 조직 파괴가 더 심할 수 있다.

29 음식을 냉장 보관하는 방법으로 바람직하지 않은 것은?

① 뜨거운 음식을 식히기 위해 냉장 보관한다.

② 해동이 필요한 식품은 조리하기 하루 전에 냉장실로 옮겨둔다.

③ 채소와 과일은 깨끗이 씻어 물기를 없앤 후 밀폐 용기에 담아 냉장 보관한다.

④ 육류, 어패류 등은 온도가 냉장실에서 가장 낮은 맨 위 칸에 냉장 보관한다.

[해설] 뜨거운 음식을 바로 냉장 보관하면 다른 음식의 온도를 높여 상하게 하므로 충분히 식힌 후에 넣어야 한다.

30 식재료의 소비기한에 대한 설명으로 옳은 것은?

① 식품의 특수성을 고려한 종합적인 의미의 유통기한이다.

② 최상의 품질로 유지 가능한 기한이다.

③ 식품이 팔리게 될 용기에 적힌 것으로 식품을 제조한 날짜다.

④ 정해진 조건하에서 보관할 시 위생상 안전성이 보장된 최종기한, 소비기한이 지난 식품은 소비할 수 없다.

[해설] ① 유통기한
② 품질유지기한
③ 포장일자

31 모시조개 된장국을 끓일 때 쌀뜨물을 이용하면 좋은 이유는?

① 된장이 더 잘 풀리기 때문이다.

② 맵고 톡 쏘는 맛을 내기 때문이다.

③ 끓이는 시간을 줄일 수 있기 때문이다.

④ 섬유질과 비타민이 들어 있기 때문이다.

[해설] 쌀의 씨눈과 겉껍질에 함유된 티아민과 섬유질이 쌀뜨물에 남아 있으므로 영양적인 가치가 있고 전분질이 된장국을 더 구수하게 만든다.

32 다음 중 필수지방산에 속하는 것은?

① 올레산
② 팔미트산
③ 리놀렌산
④ 스테아르산

[해설] 필수지방산은 건강 유지 등을 위하여 체외에서 반드시 섭취하여야 하는 지방산으로 리놀레산, 리놀렌산, 아라키돈산이 있다.

33 세균성 식중독 중에서 독소형은?

① 포도상구균 식중독
② 장염비브리오균 식중독
③ 살모넬라 식중독
④ 병원성 대장균 식중독

[해설] 장염비브리오균 식중독, 살모넬라 식중독, 병원성 대장균 식중독은 감염형이다.

34 해조류에서 추출한 성분으로 식품에 점성을 주고 안정제, 유화제로서 이용되는 것은?

① 펙틴(Pectin)
② 젤라틴(Gelatin)
③ 이눌린(Inulin)
④ 알긴산(alginic acid)

[해설] 해조류에 함유되는 다당류의 일종으로 증점안정제로 사용됨

35 그리스 트랩은 하수구로 들어가는 어떤 성분을 방지하기 위한 것인가?

① 음식물 찌꺼기
② 머리카락 등 미세한 쓰레기
③ 표백제나 중성세제
④ 기름성분

[해설] 요리나 설거지 등을 하고 난 후 허드렛물이 흘러내려가는 유출구 뒤에 접속한 것으로, 배수 안에 녹은 지방류가 배수관 내벽에 부착되어 막히는 것을 막기 위해 설치한 것이다.

36 음식물 쓰레기의 문제점이 아닌 것은?

① 썩은 후 더러운 침출수가 발생하여 지하수를 오염시킨다.

② 쓰레기 처리 비용이 적게 든다.

③ 80% 이상의 수분을 함유하고 있어 쉽게 부패하므로 악취가 발생한다.

④ 쥐나 파리, 모기, 바퀴벌레 등 해충이 번식하는 환경을 초래한다.

[해설] 쓰레기 처리 비용이 적게 든다.

37 고등어 무 조림에 무를 이용하는 이유와 거리가 먼 것은?

① 고등어가 냄비 바닥에 눌어붙지 않게 해준다.

② 영양을 보완해 준다.

③ 고등어가 더 잘 익게 해준다.

④ 고등어의 비린내를 제거해 준다.

[해설] 생선에 부족한 수용성 비타민 보완, 생선살이 바닥에 눌어붙지 않게, 무의 단맛과 시원한 맛을 더하고, 매운 맛 성분이 생선의 비린내를 억제시켜 주기 때문이다.

38 조리 준비의 과정 중 시간이 오래 걸리므로 미리 해두면 좋은 전처리 작업은?

① 씻기, 썰기
② 다듬기, 씻기
③ 무치기, 담기
④ 불리기, 해동하기

39 기계 환기에 대한 설명으로 옳지 않은 것은?

① 공기 청정기 등을 활용하기도 한다.

② 환기팬이나 배기 후드 등을 활용한다.

③ 부엌의 가열대 위에는 배기 후드를 설치한다.

④ 기계 환기가 원활하면 자연 환기는 외부먼지로 인해 하지 않는 것이 바람직하다.

[해설] 기계 환기가 원활하더라도 환기구를 두어 자연 환기도 함께 하면 더욱 효과적이다.

40 주방창의 재료 중 태양 광선의 투과율이 가장 좋은 것은 무엇인가?

① 창호지
② 유리블록
③ 투명 유리
④ 반투명 유리

[해설] 태양 광선의 투과율이 가장 좋은 것은 투명 유리이다.

41 가공식품을 선택하는 태도로 바람직하지 않은 것은?

① 영양 표시 내용을 확인한다.

② 반드시 유통기한을 확인한 후 구입한다.

③ 포장 상태가 좋고 보관이 잘된 것을 선택한다.

④ 냉동식품은 포장 안에 얼음 조각이 많이 들어 있는 것을 선택한다.

[해설] 수분이 있는 재료일 경우 잠깐이라도 해동 시 녹은 물이 다시 얼기를 반복한 까닭이다.

42 회복기 보균자에 대한 설명으로 옳은 것은?

① 몸에 세균 등 병원체를 오랫동안 보유하고 있으면서 자신은 병의 증상을 나타내지 아니하고 다른 사람에게 옮기는 사람

② 병원체에 감염되어 있지만 임상증상이 아직 나타나지 않은 상태의 사람

③ 병원체를 몸에 지니고 있으나 겉으로는 증상이 나타나지 않는 건강한 사람

④ 질병의 임상증상이 회복되는 시기에도 여전히 병원체를 지닌 사람

43 물의 자정작용에 해당되지 않는 것은?

① 희석작용   ② 소독작용
③ 분쇄, 침전작용   ④ 산화작용

44 칼 사용 시 주의할 점이 아닌 것은?

① 작업 시 안정된 자세로 집중할 것

② 칼을 떨어뜨렸을 시 한 걸음 물러나 피할 것

③ 칼은 위험요소인자이므로 사용하지 않을 때에는 잘 보이지 않는 안전한 곳에 둘 것

④ 칼을 다른 용도로 사용하지 말 것

[해설] 칼은 늘 잘 보이는 곳에 둘 것. 특히 물이 채워진 싱크대에 담그거나 음식물 사이에 두지 말 것

45 산업재해 원인 중 저온환경에서 일어날 수 있는 직업병이 아닌 것은?

① 동상   ② 동창
③ 참호족염   ④ 인두염

[해설] 인두염은 크롬 중독증에서 나타난다.

46 다음의 치즈 중 초경질 치즈인 것은?

① 모짜렐라 치즈

② 고르곤졸라 치즈

③ 에멘탈 치즈

④ 파르미지아노 레지아노(파마산 치즈)

[해설] 파마산 치즈는 조직이 단단하고 작은 알갱이가 포함되어 있다.

47 다음 서양의 아침 식사에 대한 설명으로 맞지 않는 것은?

① 서양의 아침 식사에서는 달걀 요리를 많이 사용하는 편이다.

② 미국식 아침 식사는 조식용 빵, 커피, 주스, 달걀요리 외에 감자, 햄, 베이컨, 소시지가 취향에 따라 제공된다.

③ 영국식 아침 식사는 유럽식과 미국식의 중간 정도의 차림으로 아침을 먹는다.

④ 유럽식 아침 식사는 주스류와 조식용 빵, 커피, 홍차로 간단하게 구성된다.

[해설] 영국식 아침 식사는 빵과 주스, 달걀, 감자, 육류 요리, 생선 요리가 제공되며, 조식 요리 중 가장 많은 종류와 양으로 무겁게 느껴진다.

48 라드의 대용품으로 수소를 첨가, 제조하여 만들며 크리밍파워가 크고 파이나 페이스트리 등을 만드는데 효과적인 유지류는?

① 쇼트닝   ② 마가린
③ 버터   ④ 사워크림

49 전채요리의 재료에서 생선류로 만든 것이 아닌 것은?

① 튜나 타르타르   ② 살몬 세비체
③ 쉬림프 칵테일   ④ 프로슈토 디 파르마

[해설] 프로슈토 디 파르마는 돼지 뒷다리를 소금에 말린 생햄으로 이탈리아의 파르마지방 프로슈토를 최고의 것으로 꼽는다.

50 수프를 구성하는 요소를 잘못 설명한 것은?

① 루(Roux) : 농도를 조절하는 농후제 역할을 한다.

② 스톡 : 수프의 가장 기본이 되는 요소다.

③ 향신료 : 병증에 좋은 치료제의 역할로 식욕을 촉진시킨다.

④ 가니쉬 : 수프의 맛을 증가시켜주는 역할을 한다.

[해설] 향신료: 음식에 풍미를 더해 식욕을 촉진시키고 방부작용과 보존성을 줄 수 있다. 서양 요리에선 빠질 수 없는 식재료이다.

51 소스의 올바른 역할이 아닌 것은?

① 소스는 주재료의 맛을 더 좋게 만들 수 있어야 한다.

② 색감을 내기 위해 곁들여 주는 소스는 색이 변질되면 안 된다.

③ 튀김 종류의 소스는 버무려서 시간을 두고 제공하면 깊은 맛이 튀김에 잘 어우러진다.

④ 질 좋은 고기를 사용할 경우 맛에 방해될 수 있으므로 많은 양의 소스를 제공하지 않는다.

[해설] 튀김 종류의 소스는 눅눅해지지 않도록 제공 직전 뿌려주어야 한다.

52 다음의 토마토 소스 중 성격이 다른 것은?

① 토마토 쿨리   ② 토마토 페이스트
③ 토마토 홀   ④ 토마토 퓌레

[해설] – 토마토 쿨리는 토마토 퓌레에 향신료를 가미한 것
– 토마토 홀, 토마토 퓌레, 토마토 페이스트는 조미료 첨가 없이 농축하거나 파쇄한 것이다.

53 다음의 도구 중 설명이 잘못된 것은?

① 베지터블 필러 : 오이, 당근 등의 채소류 껍질을 벗기는 도구이다.

② 위스크 : 크림을 휘핑하거나 계란 등을 섞을 때 사용한다.

③ 블렌더 : 소스나 드레싱용으로 음식물을 가는 데 사용한다.

④ 민서 : 샌드위치용 빵을 구워 준다.

[해설] 민서(Mincer) : 고기나 채소를 갈 때 사용하기도 하고 원하는 형태로 틀을 갈아 끼울 수 있다.

54 재료를 얇게 써는 방법으로 바토네, 쥘리엔 등을 써는 초기 작업에 쓰이기도 하는 것은?

① 브뤼누아즈(Brunoise)   ② 찹(Chop)
③ 슬라이스(Slice)   ④ 콩카세(Concasse)

[해설] 슬라이스(Slice) : 기본적으로 재료를 얇게 썬 것을 뜻한다.

55 양식 상차림(테이블 세팅)의 구성요소로 맞지 않은 것은?

① 글라스 웨어   ② 식전주(아페리티브)
③ 린넨   ④ 센터피스

[해설] 테이블 세팅의 구성요소는 린넨, 글라스웨어, 디너웨어, 커트러리, 센터피스, 피규어 등이다.

56 인도, 스페인 등지에서 대표적으로 쓰이는 향신료 중 꽃에서 채취하는 가장 값비싼 향신료로 음식의 노란색을 나타내는 것은?

① 로즈마리   ② 바질
③ 아티초크   ④ 샤프란

[해설] 샤프란은 세계에서 가장 비싼 향신료 중의 하나다. 1kg의 샤프란을 얻으려면 수작업으로 16만 송이의 꽃이 필요하다.

57 화학적 소독을 함에 있어 금속 부식성이 있어 주방에 부적합한 소독약은?

① 역성비누   ② 표백분
③ 승홍수   ④ 중성세제

58 식재료 반품 기준 조건에 해당되지 않는 것은?

① 유통기한을 넘긴 제품
② 진공포장 고기의 색이 암적색인 경우
③ 훈제제품 등의 진공포장이 풀린 경우
④ 제품의 변색, 곰팡이 생긴 경우

[해설] 진공포장하여 산소 공급이 없는 산화상태의 육색소는 메트미오글로빈(Metmyoglobin)이라 하여 갈색으로 변한다.

59 다음 중 알러지성 식중독의 원인 식품이 아닌 것은?

① 고등어   ② 과메기
③ 황태   ④ 정어리 통조림

[해설] 고등어, 꽁치 등의 붉은살 생선에 들어있는 히스티딘이 프로테우스 모르가니에 의해 히스타민으로 되면 알러지성 식중독을 일으키게 된다.

60 식품위생검사기관이 아닌 것은?

① 식품의약품안전평가원   ② 안전성평가연구원
③ 지방식품의약품안전청   ④ 시·도 보건환경연구원

정답   56. ④   57. ③   58. ②   59. ③   60. ②

01 감각온도의 3요소에 해당하지 않는 것은?

① 기온
② 기습
③ 기류
④ 기압

[해설] 감각온도의 3요소 : 기온, 기습, 기류

02 육류를 저온숙성할 때 적합한 습도와 온도 범위는?

① 습도 85~90%, 온도 1~3℃
② 습도 70~85%, 온도 10~15℃
③ 습도 65~70%, 온도 10~15℃
④ 습도 55~60%, 온도 15~21℃

[해설] 저온숙성의 습도와 온도는 습도 85~100%, 온도 0~3℃에서 6~11일간 숙성한다.
고온숙성은 10~20℃ 온도에서 도살한 후 10시간까지 숙성한다.

03 대장균의 최적 증식 온도는?

① 0~5℃
② 5~10℃
③ 30~40℃
④ 50~70℃

[해설] 정상상태에서 대장균의 배양 최적온도는 37~40℃이다.

04 식품감별 중 아가미 색깔이 선홍색인 생선은?

① 부패한 생선
② 초기 부패의 생선
③ 점액이 많은 생선
④ 신선한 생선

05 모든 미생물을 제거하여 무균 상태로 만드는 것은?

① 소독
② 살균
③ 멸균
④ 정균

[해설] ③ 멸균 – 물체의 표면과 내부에 존재하는 모든 곰팡이, 세균, 바이러스, 및 원생동물 등의 영양세포 및 포자를 사멸 또는 제거시켜 무균 상태로 만드는 것
① 소독 – 병원미생물의 활성을 잃게 하는 것
② 살균 – 미생물에 물리적·화학적 자극을 가하여 이를 단시간 내에 멸살시키는 일
④ 정균 – 세균의 성장과 대사가 저지되는 것

06 영양소에 대한 설명 중 틀린 것은?

① 영양소는 식품의 성분으로 생명현상과 건강을 유지하는 데 필요한 요소이다.
② 건강이라 함은 신체적, 정신적, 사회적으로 건전한 상태를 말한다.
③ 물은 체조직 구성요소로서 보통 성인 체중의 2/3를 차지하고 있다.
④ 조절소란 열량을 내는 무기질과 비타민을 말한다.

[해설] 열량소는 열량을 내는 단백질, 탄수화물, 지방을 말한다.

07 고구마 가열 시 단맛이 증가하는 이유는?

① Protease가 활성화되어
② Sucrase가 활성화되어
③ α –Amylase가 활성화되어
④ β –Amylase가 활성화되어

[해설] 고구마의 전분이 β –amylase에 의하여 맥아당으로 전환되면서 단맛이 증가한다. 이 효소는 55℃가 최적 온도이다.

08 중간숙주 없이 감염이 되는 기생충은?

① 아니사키스
② 회충
③ 간흡충
④ 폐흡충

[해설] 중간숙주 없이 감염이 되는 기생충은 회충, 편충, 요충

09 식품의 위생과 관련된 곰팡이의 특징이 아닌 것은?

① 건조식품을 변질시킨다.
② 생육에 산소를 요구하는 절대 호기성 미생물이다.
③ 곰팡이 독을 생성하는 것이 있다.
④ 생육 속도가 세균에 비해 빠르다.

[해설] 곰팡이의 생육 속도는 느리지만 생명력은 끈질기다.

10 채소의 무기질, 비타민의 손실을 줄일 수 있는 조리 방법은?

① 데치기
② 끓이기
③ 삶기
④ 볶음

[해설] 수용성인 무기질, 비타민의 손실을 줄이기 위해서 기름으로 볶는 방법이 좋다.

11 제품의 제조 수량 증감에 관계없이 매월 일정액이 발생하는 원가는?

① 고정비
② 비례비
③ 변동비
④ 체감비

[해설] 고정비는 일정한 기간 동안 조업도의 변동에 관계없이 항상 일정액으로 발생하는 원가로 감가상각비, 노무비, 보험료, 제세공과 등이 포함된다.

12 다음 중 발연점이 가장 높은 것은?

① 옥수수유
② 라드
③ 버터
④ 올리브유

[해설] 유지의 발연점은 포도씨유 250℃, 옥수수유 240, 버터 208℃, 라드 190℃, 올리브유 175℃이다.

13 매개 곤충과 질병의 연결이 옳지 않은 것은?

① 쥐벼룩 – 페스트
② 이 – 발진티푸스
③ 벼룩 – 렙토스피라증
④ 모기 – 사상충증

[해설] 렙토스피라증은 쥐에 의해 감염된다.

14 음료수의 오염과 가장 관계 깊은 감염병은?

① 홍역
② 백일해
③ 발진티푸스
④ 장티푸스

[해설] 수인성 감염병에는 장티푸스, 파라티푸스, 콜레라, 세균성 이질, 아메바성 이질, 감염성 설사 등이 있다.

정답 01. ④   02. ①   03. ③   04. ④   05. ③   06. ④   07. ④   08. ②   09. ④   10. ④   11. ①   12. ①   13. ③   14. ④

15 의료급여의 수급권자에 해당하지 않는 자는?

① 6개월 미만의 실업자

② 국민기초생활 보장법에 의한 수급자

③ 재해구호법에 의한 이재민

④ 생활유지의 능력이 없거나 생활이 어려운 자로서 대통령령이 정하는 자

[해설] 실업자는 수급권자에 해당되지 않는다.

16 자외선 살균의 특징으로 틀린 것은?

① 피조물에 조사하고 있는 동안만 살균효과가 있다.

② 비열(比熱) 살균이다.

③ 가장 유효한 살균 대상은 물과 공기이다.

④ 단백질이 공존하는 경우에도 살균효과에는 차이가 없다.

[해설] 단백질이 공존하는 경우에는 살균효과가 떨어진다.

17 급속사여과법에 대한 설명으로 옳은 것은?

① 보통 침전법을 한다. ② 사면대치를 한다.

③ 역류세척을 한다. ④ 넓은 면적이 필요하다.

[해설] 급속사여과법 : 역류 세척, 약품 침전, 좁은 면적 필요

18 질산염이나 인 물질 등이 증가해서 오는 수질오염 현상은?

① 수온상승 현상 ② 수인성 병원체 증가 현상

③ 부영양화 현상 ④ 난분해물 축적 현상

[해설] 질산염이나 인 물질의 증가는 부영양화 현상으로 미생물수가 급격히 증가해 용존 산소량이 감소하므로 생물이 살기 힘들어진다.

19 다음 기생충 중 돌고래의 기생충인 것은?

① 유극악구충 ② 유구조충

③ 아니사키스충 ④ 선모충

[해설] 아니사키스충은 갑각류나 바다생선에 기생한다.

20 다음의 균에 의해 식사 후 식중독이 발생했을 경우 평균적으로 가장 빨리 식중독을 유발시킬 수 있는 원인균은?

① 살모넬라균 ② 리스테리아

③ 포도상구균 ④ 장구균

[해설] 포도상구균의 잠복기는 평균 3시간이다. 살모넬라는 평균 18시간, 리스테리아 1~70일, 장구균 5~10시간이다.

21 우리나라 식품위생법에서 정의하는 식품첨가물에 대한 설명으로 틀린 것은?

① 식품의 조리과정에서 첨가되는 양념

② 식품의 가공과정에서 첨가되는 천연물

③ 식품의 제조과정에서 첨가되는 화학적 합성품

④ 식품의 보존과정에서 저장성을 증가시키는 물질

[해설] 식품첨가물은 식품을 제조·가공 또는 보존하는 과정에서 식품에 넣거나 섞는 물질 또는 식품을 적시는 등에 사용되는 물질을 말한다.

22 식품취급자가 손 씻는 방법으로 적합하지 않은 것은?

① 살균효과를 증대시키기 위해 역성비누액에 일반비누액을 섞어 사용한다.

② 팔에서 손으로 씻어 내려온다.

③ 손을 씻은 후 비눗물을 흐르는 물에 충분히 씻는다.

④ 역성비누 원액을 몇 방울 손에 받아 30초 이상 문지르고 흐르는 물로 씻는다.

[해설] 역성비누는 보통 비누와 함께 사용하면 살균 효과가 떨어지므로 섞어서 쓰지 않도록 주의해야 한다.

23 소분업 판매를 할 수 있는 식품은?

① 전분 ② 식용유지

③ 식초 ④ 빵가루

[해설] 어육제품, 식용유지, 특수용도 식품, 통·병조림 제품, 레토르트 식품, 전분, 장류 및 식초는 소분·판매하여서는 아니 된다.

24 사용이 허가된 산미료는?

① 구연산 ② 계피산

③ 말톨 ④ 초산에틸

[해설] ② 계피산 – 착향료 외에는 사용 금지, 청량음료수 30ppm, 아이스크림 40ppm, 사탕 30ppm, 베이커리 35ppm, 츄잉껌 10ppm 등으로 규정
③ 말톨 – 달콤한 향기가 있어 향미개량제, 보향제로 사용되는 착향료
④ 초산에틸 – 에스테르류에 속하는 착향료

25 다음 중 알칼리성 식품의 성분에 해당하는 것은?

① 유즙의 칼슘(Ca) ② 생선의 유황(S)

③ 곡류의 염소(Cl) ④ 육류의 산소(O)

[해설] 알칼리성 식품에는 우유, 대두, 채소, 해초, 고구마, 감자, 과일이 있다.

26 다음의 냉동 방법 중 얼음결정이 미세하여 조직의 파괴와 단백질 변성이 적어 원상유지가 가능하며 물리적, 화학적, 품질 변화가 적은 것은?

① 침지동결법 ② 급속동결법

③ 접촉동결법 ④ 공기동결법

[해설] 조직이나 세포의 손상 없이 1초에 104켈빈(K) 이상의 속도로 냉각하는 방법

27 우유에 함유된 단백질이 아닌 것은?

① 락트알부민 ② 락토글로불린

③ 카세인 ④ 레시틴

[해설] 레시틴은 인지질의 종류로 달걀에 함유되어 있다.

28 자가 품질 검사와 관련된 내용으로 틀린 것은?

① 영업자가 다른 영업자에게 식품 등을 제조하게 하는 경우에는 직접 그 식품 등을 제조하는 자가 검사를 실시할 수 있다.

② 직접 검사하기 부적합한 경우는 자가 품질 위탁 검사 기관에 위탁하여 검사할 수 있다.

③ 자가 품질 검사에 관한 기록서는 2년간 보관하여야 한다.

④ 자가 품질 검사 주기의 적용 시점은 제품의 유통기한 만료일을 기준으로 산정한다.

[해설] 자가 품질 검사 주기의 적용 시점은 제품의 제조일자를 기준으로 산정한다.

29 질병예방단계 중 의학적, 직업적 재활 및 사회 복귀 차원의 적극적인 예방단계는?

① 1차적 예방　　　　　② 2차적 예방
③ 3차적 예방　　　　　④ 4차적 예방

[해설] 3차적 예방은 질병 발생 후 치료와 재활단계를 말한다.

30 분뇨의 종말 처리 방법 중 병원체를 멸균할 수 있으며 진개 발생도 없는 처리 방법은?

① 소화처리법　　　　　② 습식산화법
③ 화학적처리법　　　　④ 위생적매립법

[해설] 고온, 고압으로 충분한 산소를 공급하여 소각하는 처리법이다.

31 수질의 오염 정도를 파악하기 위한 BOD(생물학적 산소 요구량)의 측정 시 일반적인 온도와 측정 기간은?

① 10℃에서 10일간　　　② 20℃에서 10일간
③ 10℃에서 5일간　　　　④ 20℃에서 5일간

32 도마의 종류에 따른 관리법으로 옳은 것은?

① 도마는 육류, 어류, 채소류, 과일류에 따라 구분하여 사용한다.
② 나무도마 – 천연 재료로 만들어 세척만 잘하면 오래 사용 가능하다.
③ 유리도마 – 위생적이고 칼자국이 남지 않으나 음식의 색이나 냄새가 남아있다.
④ 플라스틱 도마 – 가격이 저렴하나 흠이 생기지 않고 세균에 강하다.

[해설] 도마는 재료에 따라 구분, 사용하는 것이 위생적이다.

33 식품접객업소의 위생기준 및 규격에 의한 조리용 도구의 미생물 규격으로 맞는 것은?

① 포도상구균 음성, 대장균 음성
② 살모넬라 음성, 대장균 양성
③ 포도상구균 음성, 곰팡이균 양성
④ 대장균 음성, 살모넬라 양성

[해설] 조리용 도구는 미생물균이 음성이어야 한다.

34 돼지고기의 비타민 B₁의 흡수를 돕는 식품과 성분을 맞게 나열한 것은?

① 무 – 디아스타아제　　② 상추 – 락투신
③ 파 – 인　　　　　　　④ 마늘 – 알리신

35 생선 튀김 시 기름에서 푸른 연기가 나기 시작하는 것은?

① 용해점　　　　　　　② 발화점
③ 발연점　　　　　　　④ 연화점

36 다음 중 하수 오염도 측정 시 BOD(생화학적 산소요구량)를 결정하는 요인은?

① 하수량　　　　　　　② 광물질량
③ 경도　　　　　　　　④ 유기물질량

[해설] BOD가 높으면 유기물이 잔류하게 되므로 오염도가 높게 나타난다.

37 질병 감염 후 면역력이 생기는 것은?

① 유행성 독감　　　　　② 유행성 이하선염
③ 세균성 이질　　　　　④ 장염

[해설] 감염에 의한 면역이 획득되는 질병 : 홍역, 수두, 백일해, 성홍열, 발진티푸스, 장티푸스, 페스트, 황열, 콜레라

38 장염비브리오 식중독균을 설명한 것으로 틀린 것은?

① 어패류에 존재하는 세균이다.
② 그람양성균으로 아포를 생성한다.
③ 3%의 소금물에 담가놓은 생선에서 발견된다.
④ 설사와 두통이 심하다.

[해설] 그람음성균으로 아포가 없다.

39 조리장의 조명 불량으로 발생하는 질환이 아닌 것은?

① 근시　　　　　　　　② 결막염
③ 안정피로　　　　　　④ 안구진탕증

[해설] 결막염이란 세균, 바이러스, 진균 등의 미생물과 꽃가루나 화학 자극 등 환경적 요인에 의해 결막에 염증이 생긴 상태를 말한다.

40 조개 맛을 내는 조미료에 첨가되는 것은?

① 안식향산 나트륨　　　② 글루타민산 나트륨
③ 구연산 나트륨　　　　④ 호박산이나트륨

[해설] 안식향산은 보존제, 글루타민산은 다시마의 정미성분, 구연산은 pH조정제로 사용된다.

41 꽃 부분을 식용하는 채소는?

① 두릅　　　　　　　　② 파슬리
③ 아스파라거스　　　　④ 아티쵸크

[해설] 식용 가능한 화채류는 브로컬리, 아티쵸크, 컬리플라워

42 라드의 대용품으로 수소를 첨가, 제조하여 만들며 크리밍파워가 크고 파이나 페이스트리 등을 만드는데 효과적인 유지류는?

① 쇼트닝　　　　　　　② 마가린
③ 버터　　　　　　　　④ 사워크림

43 유지류의 조리 특성과 관계가 없는 것은?

① 밀가루의 연화작용　　② 글루텐 형성
③ 유화작용　　　　　　④ 열 전달체 역할

[해설] 유지류는 글루텐 형성을 방해한다.

44 다음 중 고유의 향미성분이 생기는 방식이 다른 것은?

① 생선구이　　　　　　② 커피
③ 너비아니　　　　　　④ 와인

[해설] 와인의 향미는 발효과정에서 생긴다.

45 자외선의 측정 단위로 맞는 것은?

① kg
② ℃
③ dB
④ Å

46 다음 중 스톡을 만들 때 사용하는 재료가 아닌 것은?

① 닭 뼈
② 밀가루와 버터
③ 부케가르니
④ 미르포아

[해설] 밀가루와 버터는 루를 만들 때 사용한다.

47 샐러드 기본 구성요소에 해당하지 않는 것은?

① Base
② Dish
③ Dressing
④ Body

[해설] 샐러드의 기본 구성요소는 Base, Body, Dressing, Garnish로 이루어진다.

48 소스나 수프의 농도를 조절하는 농후제는?

① 스톡
② 치즈가루
③ 향신료
④ 리에종

[해설] 리에종은 루, 밀가루, 전분, 달걀노른자로 농도 조절제로 사용된다.

49 스테이크에 적합하지 않은 부위는?

① 양지
② 등심
③ 채끝
④ 안심

[해설] 양지는 스튜나 탕 등에 적합하다.

50 서양식 아침 식사로 어울리는 것은?

① 수플레
② 쉬림프 카나페
③ 캐비어
④ 치즈오믈렛

[해설] 수플레는 디저트용, 쉬림프 카나페와 캐비어는 애피타이저용이다.

51 고기를 잘게 다지는 방법을 무엇이라 하는가?

① 론델
② 샤토
③ 민스
④ 파리지엔

[해설] – 론델 : 원통형 재료를 둥글게 얇게 썬다.
– 샤토 : 가운데는 굵고 양끝이 가는 타원형 모양을 5cm 정도의 길이로 썬다.
– 파리지엔 : 둥근 모양으로 파내는 방법

52 달걀의 한쪽 면만 익힌 것으로 달걀노른자가 떠오르는 태양과 같다고 해서 붙여진 이름을 가진 요리명은?

① 서니 사이드 업
② 오버 이지
③ 오믈렛
④ 오버 미디엄

[해설] 서니 사이드 업(Sunny side up)

53 다음 중 접시 사이즈가 가장 큰 것은?

① 위치 접시
② 빵 접시
③ 디너 접시
④ 디저트 접시

[해설] 위치 접시 : 착석 전에 자리에 세팅되어 있는 접시로 지름은 30~32cm 크기로 화려하다.

54 푸드 플레이팅에서 조리사가 음식을 담는 부분은?

① 프레임(Frame)
② 림(Rim)
③ 센터 포인트(Center point)
④ 이너 서클(Inner circle)

[해설] 이너 서클(Inner circle)은 림에서 1~2cm 안쪽으로 상상해서 그린 원형으로 그 안쪽에 식재료와 음식을 담는다.

55 외식 산업에서 메뉴를 기획할 때 고려의 대상이 아닌 것은?

① 주변 환경을 분석한다.
② 원가와 수익성 관계를 확인한다.
③ 독창성보다는 사회적으로 성공한 메뉴를 구성한다.
④ 식재료의 지속적이고 원활한 공급이 가능한지 파악한다.

[해설] 독창성이 보여지는 메뉴를 구성한다.

56 다음 중 콜드 디저트가 아닌 것은?

① 무스(Mousse)
② 젤리(Jelly)
③ 그라탕(Gratin)
④ 과일 콤포트(Fruit comport)

[해설] 그라탕(Gratin)은 핫 디저트에 속한다.

57 스톡 조리법으로 맞지 않는 것은?

① 센 불에서 물이 끓으면 재료를 넣고 불을 줄인다.
② 스톡의 온도가 섭씨 약 90℃를 유지하도록 은근히 끓여준다.
③ 스톡에는 소금 등의 간을 하지 않는다.
④ 거품 및 불순물은 스키머(skimmer)로 제거해 주어야 한다.

[해설] 뜨거운 물에 재료를 넣게 되면 불순물이 빨리 굳어지고 맛이 우러나지 못한다.

58 일반적으로 부케가르니(Bouquet garni)에 들어가는 재료가 아닌 것은?

① 통후추
② 파슬리 줄기
③ 월계수잎
④ 생강

[해설] 일반적으로 부케가르니에는 파슬리, 월계수잎, 정향, 타임, 로즈메리 등의 향신료와 통후추, 셀러리 등의 향신 채소를 실로 묶거나 고정하여 사용한다.

59 다음 중 맞게 설명된 것은?

① 바나나는 숙성될수록 전분이 많아져 달콤해진다.
② 복숭아와 자두 등에는 펙틴이 많지 않아 잼이나 젤리를 만들기에 적합하지 않다.
③ 파인애플의 액티니딘은 고기 연육 작용에 좋아 많이 이용된다.
④ 아보카도의 지방산은 불포화 지방산을 80% 이상 차지하고 있어 나무의 버터라 불린다.

60 새우 소금구이 시 껍질은 붉은색으로 변하는데, 이 현상과 관련된 색소는?

① 루테인
② 멜라닌
③ 아스타잔틴
④ 구아닌

[해설] 새우나 게 같은 갑각류의 색소는 가열하면 회색인 아스타잔틴에서 적색의 아스타신이 된다.

01 식품위생법상 조리사를 두어야 하는 영업장은?

① 유흥주점　　　　　　② 단란주점
③ 복어전문점　　　　　④ 가정식백반

[해설] 2019년 12월 13일 이전까지는 복어 조리 자격이 아닌 한식, 일식, 중식, 양식 등 조리 자격만 있어도 복어 조리 및 판매가 가능했지만, 2019년 12월 13일부터 개정된 식품위생법 시행령이 시행된 후 부터는 반드시 복어 조리 자격이 있어야지만 복어 조리 및 판매가 가능하다.

02 위생관리의 필요성으로 옳지 않은 것은?

① 고객 만족과 브랜드 이미지 관리
② 식중독 위생사고 예방
③ 매출 증대
④ 정부의 엄격한 강요

[해설] 위생관리는 식중독 위생사고 예방, 〈식품위생법〉 및 행정처분 강화, 안전한 먹거리로 상품의 가치 상승, 점포의 이미지 개선, 고객 만족과 대외적 브랜드 이미지 관리, 매출 증진 등을 위해 필요하다.

03 식품의 표시·광고에 대한 설명 중 옳은 것은?

① 허위표시·과대광고의 범위에는 용기·포장만 해당되며 인터넷을 활용한 제조방법·품질·영양가에 대한 정도는 해당되지 않는다.
② 자사제품과 직·간접적으로 관련하여 각종 협회, 학회, 단체의 감사장 또는 상장, 체험기 등을 활용하여 "인증", "보증" 또는 "추천"을 받았다는 내용을 사용하는 광고는 가능하다.
③ 질병의 치료에 효능이 있다는 내용의 표시·광고는 허위표시·과대광고에 해당하지 않는다.
④ 인체의 건전한 성장 및 발달과 건강한 활동을 유지하는데 도움을 준다는 표현은 허위표시·과대광고에 해당하지 않는다.

[해설] ① 용기, 포장, 라디오, 텔레비전, 신문, 잡지, 영상, 인쇄물, 인터넷 그 밖의 방법으로 활용한 제조방법, 품질, 영양가에 대한 정보
② 정부표창규정의 상장을 제외한 각종 감사장, 상장 등을 활용하여 "인증", "보증" 또는 "추천을 받았다"는 내용의 광고
③ 질병치료에 효능이 있다는 내용 또는 의약품으로 혼동할 우려가 있는 내용의 표시, 광고

04 가열조리가 식품에 미치는 영향이 아닌 것은?

① 조직의 연화를 위해 끓이는 방법은 좋지 않다.
② 향미 성분 증진
③ 유해한 물질의 파괴
④ 소화력을 돕는다.

[해설] 질긴 고기 부위는 오래 끓일 경우 젤라틴화되어 부드러워진다.

05 식품첨가물 중 보존료의 목적을 가장 잘 표현한 것은?

① 산도 조절
② 산화 방지
③ 가공과정 중 영양소 강화
④ 미생물에 의한 부패 방지

[해설] 식품첨가물은 의도적 식품첨가물을 말하며 식품의 품질을 개량하여 보존성, 기호성을 향상시킬 뿐만 아니라, 영양가 및 식품의 실질적인 가치를 증진시킬 목적으로 사용하는 것

06 식품위생법상 식품영업에 종사하지 못하는 질병의 종류가 아닌 것은?

① 피부병　　　　　　② 화농성 질환
③ 비감염성 결핵　　④ A형 간염

[해설] 비감염성 결핵의 경우에는 조리 관련 직업에 종사가 가능하다.

07 60℃에서 30분간 가열하면 식품 안전에 위해가 되지 않는 세균은?

① 클로스트리디움 보툴리늄균　② 황색포도상 구균
③ 장구균　　　　　　　　　　④ 살모넬라균

[해설] ① 클로스트리디움 보툴리늄균 : 80℃ 30분(아포는 120℃ 20분)
② 황색포도상 구균 : 80℃ 30분

08 병원체가 세균인 질병은?

① 폴리오　　　　　　② 백일해
③ 발진티푸스　　　　④ 홍역

[해설] ① 폴리오
④ 홍역 – 바이러스
③ 발진티푸스 – 리케차

09 집단급식소의 지정 기준이 아닌 것은?

① 위해요소중점관리기준(HACCP) 적용 지정 여부
② 최근 1년 이내 식중독 발생 여부
③ 조리사와 영양사의 근무 여부
④ 1회 급식인원 100인 가능 여부

[해설] 1회 50인 이상의 급식 가능 여부

10 세균 번식이 잘 되는 환경과 거리가 먼 것은?

① 온도가 적당할 것　　　② 습기가 있을 것
③ 영양성분이 있을 것　　④ 산성식품일 것

[해설] 세균은 pH6.5~8.0인 중성 또는 알칼리에서 잘 자란다.

11 실내공기의 오염지표로 이용되는 기체는?

① 질소　　　　　　　② 일산화탄소
③ 이산화탄소　　　　④ 산소

[해설] 이산화탄소는 실내공기 오염 정도의 지표로 이용되며, 위생학적 허용한계는 0.1%(1000ppm)

12 다음 중 곡류에 대한 설명으로 맞는 것은?

① 찹쌀은 아밀로펙틴 80%와 아밀로오스 20%로 점성이 강하다.
② 우리나라 사람들이 선호하는 쌀은 호화가 잘 되는 Indica type이다.
③ 겉보리는 가공하여 판매하거나 보리차, 엿기름 등으로 활용한다.
④ 보리의 단백질은 제인으로 필수 아미노산이다.

[해설] 겉보리 껍질을 벗기지 않은 보리를 말하며 껍질이 얇고 매우 밀착되어 있어서 잘 벗겨지지 않는 품종으로 보리차, 엿기름 등으로 가공 사용한다.

정답 01. ③　02. ④　03. ④　04. ①　05. ④　06. ③　07. ④　08. ②　09. ④　10. ④　11. ③　12. ③

13 다음 보기의 (　　　) 안에 들어갈 단어로 올바른 것은?

> 단백질 11% 이상 – 글루텐 함량이 높아 제빵에 사용된다. – (　　)

① 강력분　　　　　　　② 박력분
③ 듀럼밀　　　　　　　④ 세몰리나

[해설] ② 박력분 – 단백질 8~9%
③ 듀럼밀 – 단백질 13% 이상
④ 세몰리나 – 듀럼밀을 제분한 밀가루로 파스타, 시리얼, 푸딩, 쿠스쿠스 등을 만드는 데 사용된다.

14 다음 중 식품의 팽창률로 맞는 것은?

① 말린 미역 – 7배　　　② 고사리 – 2.5배
③ 목이버섯 – 3배　　　④ 당면 – 10배

[해설] ② 고사리 – 6배
③ 목이버섯 – 10배
④ 당면 – 3배

15 콩에 들어있는 성분 중 위장장애를 일으키는 것은?

① 사포닌　　　　　　　② 이소플라본
③ 트립신 저해제　　　　④ 레시틴

[해설] 트립신은 장내 효소로 단백질을 가수분해한다.

16 다음 중 맞는 것은?

① 멜론과 아보카도는 오래 숙성시키면 선명한 빛을 띤다.
② 키위의 효소인 브로멜린은 고기를 연화시킨다.
③ 사과를 껍질 벗긴 채로 보관할 때는 레몬즙을 살짝 뿌려 놓는다.
④ 잘 익은 포도에는 펙트산이 많이 들어있어 잼으로 만들기 적당하다.

[해설] 효소에 의한 갈변을 막는 방법으로는 열처리, 산소 제거, 환원성 물질 첨가, pH 조건 변동 등이 있다.

17 다음 중 틀린 것은?

① 에르고스테롤은 동물성 지방에서 발견되는 것으로 비타민 B가 많이 함유되어 있다.
② 버터나 쇼트닝 등의 고체지방이 제과반죽에 적합한 이유는 가소성 때문이다.
③ 유지의 산패에는 가수분해에 의한 산패와 산화에 의한 산패로 나뉜다.
④ 식물성유지를 경화처리한 것에는 마가린과 쇼트닝이 대표적이다.

[해설] 에르고스테롤은 효모, 곰팡이, 버섯과 같은 진균의 세포막을 구성하고 있는 대표적인 스테롤(Sterol) 성분이다.

18 우유에 대한 설명 중 맞는 것은?

① 우유를 우리나라에서 최초로 먹기 시작한 시기는 6.25전쟁 이후이다.
② 우유의 주된 단백질은 카세인과 유청단백질이다.
③ 우유에 레닌을 첨가하면 갈색으로 변색되는데 이를 마이야르반응이라 한다.
④ 연질치즈로는 파마산, 그뤼에르 치즈 등이 있다.

[해설] ① 우리나라에서 우유를 먹었다는 시기는 정확하지 않지만 문헌으로 미루어 고려시대부터 유우소(乳牛所)가 있었으며 상류층 일부에서 식용으로 하였음을 확인할 수 있다.
③ 치즈는 레닌이나 산을 이용해서 우유 단백질을 응고시켜 만든다.
④ 파마산, 그뤼에르 치즈는 초경질 치즈다.

19 달걀에 대한 설명으로 잘못된 것은?

① 난각은 탄산칼슘으로 이루어져 있으며 김치의 신맛을 감소시킨다.
② 기실이 큰 것은 달걀이 신선하다는 기준이다.
③ 유정란의 경우 난황의 표면에 배반이 있다.
④ 달걀을 삶았을 때 난황의 주위가 암녹색으로 변색되는 것은 난백에서 생성된 황화수소가 난황의 철분과 반응한 이유이다.

[해설] 기실이 큰 것은 달걀이 오래되어 수분의 증발 때문이다.

20 어패류에 대한 설명으로 틀린 것은?

① 어패류는 산란기가 가장 맛있다.
② 어류의 등과 배 쪽의 경계 부위를 혈합육이라 하는데 꽁치, 고등어, 정어리 등 붉은살 생선에 많다.
③ 어류가 육류보다 결합조직의 양이 적어 부드럽다.
④ 어류의 단맛과 신선한 냄새의 원인은 트리메틸아민(TMA) 성분이다.

[해설] 트리메틸아민(TMA) 성분은 비린내로 부패하기 시작할 때 발생한다.

21 식품재료의 저장법 중 통조림과 병조림으로 미생물이 살균되고 외부와의 차단성으로 보존이 좋은 저장방식은?

① 기체 호흡조절 저장　　② 밀봉살균 저장
③ 냉동저장　　　　　　　④ 방사선 조사법

[해설] ① 기체 호흡조절 저장 – 공기조성 중 산소함량을 1~5%로 줄이고 탄산가스 함량을 2~10%로 증가시켜 호흡작용을 억제하여 냉장하는 방법이다.
④ 방사선 조사법 – 변질되기 쉬운 식품에 방사선의 일종인 감마선을 쬠으로써 식품에 함유돼 있는 세균, 곰팡이, 효모 등 부패 미생물과 해충을 죽임으로써 식품의 장기보존을 가능케 하는 살균방법

22 다음 설명 중 잘못 말한 것은?

① 감자는 수확 후 품질의 향상과 저장을 위해서 큐어링 처리를 한다.
② 껍질 벗긴 감자가 갈변하는 이유는 티로시나아제에 의한 산화 작용이다.
③ 분질 고구마는 전분이 많아 삶았을 때 파삭한 식감의 밤고구마로 불린다.
④ 토란(taro)의 주성분은 전분으로 타피오카 펄로 제조된다.

[해설] 타피오카는 카사바의 뿌리에서 채취한 식용 녹말로 생것의 경우 20~30%의 녹말을 함유하고 있는데, 이것을 짓이겨 녹말을 물로 씻어내 침전시킨 후 건조시켜서 타피오카를 만든다.

23 식품위생법상 기구로 분류되지 않는 것은?

① 도마　　　　　　　　② 밥상 덮개
③ 수저　　　　　　　　④ 도시락통

[해설] "기구"란 다음 각 목의 어느 하나에 해당하는 것으로서 식품 또는 식품 첨가물에 직접 닿는 기계 · 기구나 그 밖의 물건(농업과 수산업에서 식품을 채취하는 데에 쓰는 기계 · 기구나 그 밖의 물건 및 「위생용품 관리법」 제2조제1호에 따른 위생용품은 제외한다)을 말한다.

24 색소체에 대한 설명으로 잘못된 것은?

① 클로로필과 카로티노이드는 지용성으로 색소체에 존재한다.
② 클로로필은 덜 익은 과일 등에서 발견된다.
③ 플라보노이드는 액포에 존재하는 노란색 계통의 색소체이다.
④ 안토시아닌, 카테킨은 넓은 의미의 카로티노이드색소에 속한다.

[해설] 안토시아닌, 카테킨은 플라보노이드(flavonoids) 계열의 물질로서 꽃이나 과실 등에 주로 포함되어 있는 색소를 말한다.

정답　13. ①　14. ①　15. ③　16. ③　17. ①　18. ②　19. ②　20. ④　21. ②　22. ④　23. ②　24. ④

25 다음 중 육류에 대한 설명으로 맞지 않는 것은?

① 미오신과 액틴은 결합조직에 둘러싸여 있는 근육이다.
② 육류의 수분은 텍스처에 영향을 미친다.
③ 육류의 근육색소는 운동량이 많을수록 붉게 나타난다.
④ 송아지는 사후강직이 길게 나타나기 때문에 숙성을 오래하는 편이 좋다.

[해설] 송아지는 8주~16주 미만으로 근섬유가 가늘고 육질 자체가 수분이 많아 사후 강직이 길지 않다.

26 찜 요리의 특징으로 적합하지 않은 것은?

① 찜통의 증기열을 이용하여 영양 손실이 상대적으로 많은 조리 방법이다.
② 담백한 감칠맛이 있다.
③ 재료의 식감이 부드럽게 완성된다.
④ 찜 요리는 재료 자체의 맛이 살아있는 요리로 특히 신선한 재료를 사용해야 한다.

[해설] 영양 손실이 적은 조리 방법이다.

27 튀김옷으로 적당한 전분은?

① 감자 전분
② 고구마 전분
③ 옥수수 전분
④ 타피오카 전분

[해설] 감자 전분은 잘 부풀고 바삭한 식감으로 튀김옷으로 적당하다.

28 굳히는 요리에 대한 설명으로 옳지 않은 것은?

① 젤라틴은 사람의 체온인 36~37℃ 정도에서 응고된다.
② 재료를 틀에 부어 굳히는 요리로 양갱, 참깨두부 등이 있다.
③ 한천은 25℃에서 응고된다.
④ 칡 전분은 호화 과정에서 많이 치댈수록 점성이 높아진다.

[해설] 젤라틴은 5℃에서 응고되므로 냉장고에서 보관한다.

29 어육을 가공하여 gel화 시킨 연육제품을 만들 때 반드시 첨가해야 하는 것은?

① 설탕
② 조미료
③ 소금
④ 보존료

[해설] 단백질 미오신은 소금에 녹는 성질을 가지고 있다.

30 중성지방의 구성성분은?

① 아미노산과 글리세롤
② 지방산과 글리세롤
③ 탄소와 지방산
④ 포도당과 지방산

[해설] 글리세롤 1분자와 지방산 3분자로 구성되어 있다.

31 우뭇가사리가 주원료이며 점액질을 추출하여 만든 가공식품은?

① 젤라틴
② 한천
③ 곤약
④ 타피오카

[해설] 홍조류를 삶아 냉각, 동결, 건조한 것

32 토마토, 당근의 붉은색은 어떤 색소인가?

① 클로로필
② 안토시아닌
③ 잔토필
④ 카로티노이드

33 고기를 냉동, 해동시킬 때 조직의 손상을 최소화하는 방법은?

① 급속동결, 급속해동
② 급속동결, 완만해동
③ 완만동결, 급속해동
④ 완만동결, 완만해동

[해설] 급속동결, 완만해동이 식품의 드립현상을 최소화시킨다.

34 사회보장제도 중 공공부조에 해당하는 것은?

① 고용보험
② 건강보험
③ 국민연금
④ 의료보험

[해설] 사회보장제도 중 공공부조에 해당하는 것은 의료보험, 기초생활보장 등이다.

35 다음 중 가장 강한 살균력을 갖는 것은?

① 자외선
② 적외선
③ 가시광선
④ X-ray

36 학교 급식의 교육적인 목적에 맞지 않는 것은?

① 올바른 식생활 교육
② 편식 교육
③ 빈곤 아동들의 급식 교육
④ 영양에 대한 올바른 가치관 교육

37 유해성 금속 물질 중 미나마타병을 일으키는 것은?

① 수은(Hg)
② 카드뮴(Cd)
③ 크롬(Cr)
④ 납(Pb)

[해설] ※ 수은(Hg) 중독으로는 구토, 지각이상, 언어장애 등의 증상이 있다.
　② 카드뮴(Cd) - 골연화증, 골다공증
　③ 크롬(Cr) - 비염, 궤양, 피부염
　④ 납(Pb) - 빈혈, 사지마비, 지각상실, 시력장애

38 폐기물 소각 처리 시 가장 큰 문제점은?

① 악취 발생, 수질오염
② 다이옥신 발생
③ 지반약화로 인한 균열
④ 기온 상승

39 아메바에 의해서 발생되는 질병은?

① 장티푸스
② 콜레라
③ 이질
④ 홍역

[해설] 아메바 감염에 의해 발생하는 소화기 질환으로 이질, 복통, 장관벽의 미란이 특징이다.

40 공기의 성분 중 잠함병과 관련이 있는 것은?

① 산소
② 매탄가스
③ 이산화탄소
④ 질소

[해설] 바닷속에서 잠수할 시 질소가 인체에 머물면서 혈액 내로 녹아 들어 기포 상태로 통증을 만들어 내는 병

41 일정 기간 기업의 경영활동으로 발생한 경제적 소비를 뜻하는 것은?

① 손익   ② 감가상각비
③ 비용   ④ 이윤

42 산업재해지표와 관련이 적은 것은?

① 건수율   ② 이환율
③ 도수율   ④ 강도율

[해설] 이환율은 일정 기간 발생한 환자수를 인구당 비율로 나타낸 것

43 1일 8시간 소음 허용 기준은 얼마 이하인가?

① 80dB   ② 90dB
③ 100dB   ④ 70dB

[해설] 90dB은 8시간 기준이다.

44 넓은 조리장에 적합하며 동선이 가장 짧은 형태는?

① 일렬형   ② 병렬형
③ ㄷ자형   ④ 아일랜드형

45 과일의 갈변 방지로 적당하지 않은 것은?

① 항산화제 사용   ② 산 처리
③ 산소 공급   ④ 효소 불활성화

[해설] 산소 제거 시 갈변 억제가 된다.

46 향신료 다발, 채소, 와인 등을 넣어 끓인 후 해산물을 포칭하는 것은?

① 부케가르니   ② 스톡
③ 미르포아   ④ 쿠르부용

47 양식 상차림(테이블 세팅)의 구성요소로 맞지 않은 것은?

① 글라스 웨어   ② 식전주(아페리티브)
③ 린넨   ④ 센터피스

[해설] 테이블 세팅의 구성요소는 린넨, 글라스웨어, 디너웨어, 커트러리, 센터피스, 피규어 등이다.

48 타르타르소스의 재료로 적당하지 않은 것은?

① 양파, 레몬, 파슬리, 식초
② 파슬리찹, 달걀, 흰 후춧가루
③ 오이피클, 양파, 달걀, 마요네즈
④ 핫소스, 양파, 케찹, 마요네즈

49 루(Roux)를 만드는 방법으로 옳은 것은?

① 밀가루에 육수를 넣어 만든다.
② 밀가루에 달걀을 넣어 휘핑한다.
③ 밀가루에 버터를 넣고 볶는다.
④ 밀가루에 우유를 넣어 만든다.

[해설] 루(Roux) – 서양요리의 대표적인 소스 농후제로서 팬에 버터와 밀가루를 동량으로 넣고 볶아낸 것을 말한다.

50 소스의 올바른 역할이 아닌 것은?

① 소스는 주재료의 맛을 더 좋게 만들 수 있어야 한다.
② 색감을 내기 위해 곁들여 주는 소스는 색이 변질되면 안 된다.
③ 튀김 종류의 소스는 버무려서 시간을 두고 제공하면 깊은 맛이 튀김에 잘 어우러진다.
④ 질 좋은 고기를 사용할 경우 맛에 방해될 수 있으므로 많은 양의 소스를 제공하지 않는다.

[해설] 튀김 종류의 소스는 눅눅해지지 않도록 제공 직전 뿌려주어야 한다.

51 전채요리에 속하는 메뉴로 알맞은 것은?

① 클럽 샌드위치, 솔모르네
② 크렘 브륄레, 치킨 커틀렛
③ 비프스튜, 스패니쉬 오믈렛
④ 쉬림프 카나페, 참치 타르타르

[해설] 전채요리란 주 요리 전에 나오는 소량의 음식으로 식욕을 돋울 수 있어야 한다.

52 다음 조리법 중 기름에 튀겨 내는 조리법은?

① Grilling   ② Roasting
③ Steaming   ④ Deep Frying

[해설] ① Grilling – 가열된 금속 표면에 굽는 방법
② Roasting – 육류 또는 가금류 등을 통째로 오븐에서 굽는 방법
③ Steaming – 찜통에서 음식을 쪄내는 요리 방법

53 라드의 대용품으로 수소를 첨가, 제조하여 만들며 크리밍파워가 크고 파이나 페이스트리 등을 만드는데 효과적인 유지류는?

① 쇼트닝   ② 마가린
③ 버터   ④ 사워크림

54 수프에 대한 설명이 맞지 않은 것은?

① 미네스트로네 – 베이컨, 양파, 셀러리, 당근, 감자, 토마토 페이스트를 볶아 스톡에 넣은 후 향료를 첨가하여 끓인 야채 수프
② 콩소메 – 고기와 채소를 푹 고아 진하게 우려낸 걸쭉한 수프
③ 차우더 – 생선, 조개, 감자와 우유나 크림을 이용한 걸쭉한 수프
④ 가스파초 – 토마토, 피망, 오이, 빵, 올리브 오일, 식초, 얼음물을 함께 갈아 차게 먹는 야채 수프

[해설] 콩소메 – 고기와 채소를 푹 고아 진하게 우려낸 후 맑게 걸러낸 수프이다.

55 샌드위치용 빵으로 적당하지 않은 것은?

① 식빵, 포카치아   ② 베이글, 햄버거번
③ 모카빵, 페이스트리   ④ 치아바타, 바게트

[해설] 모카빵의 경우 겉면에 비스킷을 씌우기 때문에 샌드위치를 만들기에 적당하지 않다.

56 다음 중 잘못된 계량 단위는?

① 1ts – 1티스푼   ② 1oz – 28.35g
③ 0.5L – 500㎖   ④ 1c – 머그컵으로 1컵

[해설] 1c – 계량컵으로 1컵

57 진공 저온 조리법으로 밀폐된 진공상태의 비닐 속에 재료를 넣고 오랜 시간 조리하여 음식물의 수분이 유지되는 조리법은?

① 수비드　　　　　　② 스튜잉
③ 스티밍　　　　　　④ 블레이징

58 달걀의 양쪽 면을 완전하게 익힌 것은?

① 서니 사이드 업(sunny side up)
② 오버 이지(over easy)
③ 오믈렛(omelet)
④ 오버 하드(over hard)

59 디저트의 3요소가 아닌 것은?

① 감미　　　　　　　② 과일
③ 풍미　　　　　　　④ 향신료

[해설] 디저트의 3요소는 감미, 풍미, 과일로 이루어진다.

60 육류의 마리네이드 방법 중 액체 마리네이드가 아닌 것은?

① 올리브유　　　　　② 식초
③ 와인　　　　　　　④ 향신료

[해설] 고체 마리네이드 – 향신료, 소금, 후추, 생강, 마늘

01 식품의 유기물을 고온으로 가열할 때 단백질이나 지방이 분해되면서 생기게 되는 유해 물질은?

① 에틸카바메이트   ② 다환방향족탄화수소
③ N-니트로소아민   ④ 메탄올

[해설] ① 에틸카바메이트 – 발효식품에서 발견되는 자연 발생적인 발암성 물질
③ N-니트로소아민 – 산성 하에서 아질산과 아민으로부터 생성된다.
④ 메탄올 – 맛과 냄새는 에탄올과 비슷하지만 부동액, 연료 등으로 쓰이며 다양한 화학 반응에서 용매 물질로 사용된다.

02 노로바이러스 식중독의 예방 및 확산방지 방법으로 틀린 것은?

① 오염지역에서 채취한 어패류는 90℃에서 2분 이상 가열하여 섭취한다.
② 항바이러스 백신을 접종한다.
③ 오염이 의심되는 지하수의 사용을 자제한다.
④ 가열 조리한 음식물은 맨손으로 만지지 않도록 한다.

[해설] 항바이러스 백신 접종으로 예방할 수 없다.

03 식품위생의 수준을 향상시키기 위해 조리사나 영양사에게 교육 받을 것을 명할 수 있는 자는?

① 보건소장   ② 보건복지부장관
③ 식품의약품안전처장   ④ 시장·군수·구청장

04 식품의 부패 및 변질과 관련이 적은 것은?

① 수분   ② 온도
③ 효소   ④ 압력

[해설] 식품의 부패 원인으로는 미생물의 번식, 식품의 효소작용, 공기 중에서의 산화가 있다.

05 다음 중 식품첨가물과 주요 용도의 연결이 바르게 된 것은?

① 안식향산 : 착색제   ② 토코페롤 : 표백제
③ 질소나트륨 : 산화 방지제   ④ 피로인산칼륨 : 품질 개량제

[해설] 피로인산칼륨은 무백색의 결정 또는 백색의 결정성 분말로 무수물은 백색의 분말, 입상 또는 덩어리인 피로인산염류 품질 개량제이다.

06 영양 요구성으로 유기물이 없으면 생육하지 않는 종류의 균은?

① 염기 영양균   ② 자생 영양균
③ 종속 영양균   ④ 독립 영양균

[해설] 종속 영양균은 생육에 있어 다른 생물이 만든 유기화합물을 필수로 하는 미생물이다.

07 식품위생법에서 "기구"에 해당하지 않는 것은?

① 식품 섭취에 사용되는 기구
② 식품 또는 식품첨가물에 직접 닿는 기구
③ 농산물 채취에 사용되는 기구
④ 식품 운반에 사용되는 기구

[해설] "기구"란 다음에 해당하는 것으로서 식품 또는 식품첨가물에 직접 닿는 기계·기구나 그 밖의 물건(농업과 수산업에서 식품을 채취하는 데에 쓰는 기계·기구는 제외한다)을 말한다.

08 즉석판매제조·가공업소 내에서 원하는 만큼 소분하여 소비자에게 판매할 수 있는 식품이 아닌 것은?

① 식빵   ② 된장
③ 우동면   ④ 어육제품

[해설] 통·병조림 제품, 레토르트식품, 냉동식품, 어육제품, 식초, 전분, 알가공품, 유가공품은 소분·판매대상에서 제외된다.

09 식품위생법규상 우수업소의 지정기준으로 틀린 것은?

① 건물은 작업에 필요한 공간을 확보하여야 하며, 환기가 잘 되어야 한다.
② 원료처리실·제조가공실·포장실 등 작업장은 분리·구획되어야 한다.
③ 냉장시설·냉동시설·소화전 등은 안전을 위해 쉽게 눈에 띄지 않는 곳에 설치한다.
④ 작업장의 바닥·내벽 및 천장은 내수처리를 하여야 하며, 항상 청결하게 관리되어야 한다.

[해설] 소화기는 잘 보이는 곳에 설치한다.

10 섭조개 속에 들어있으며 특히 신경계통의 마비 증상을 일으키는 독성분은?

① 무스카린   ② 시큐톡신
③ 베네루핀   ④ 삭시톡신

[해설] 삭시톡신은 섭조개, 대합 속에 들어 있는 독성분으로 마비 증상을 일으키거나 사망할 수도 있으며, 끓여도 파괴되지 않는다.

11 식품 등의 표시기준상 열람 표시에서 몇 kcal 미만을 "0"으로 표시할 수 있는가?

① 2kcal   ② 5kcal
③ 7kcal   ④ 10kcal

[해설] 열량의 단위는 킬로칼로리(kcal)로 표시하되, 그 값을 그대로 표시하거나 그 값에 가장 가까운 5kcal 단위로 표시하여야 한다. 이 경우 5kcal 미만은 "0"으로 표시할 수 있다.

12 감염병에 따른 감염경로로 옳지 않은 것은?

① 비말감염 – 코로나19   ② 지접 접촉감염 – 성병
③ 공기감염 – 폴리오   ④ 모기 – 황열

[해설] 폴리오는 소아마비의 병원체가 되는 바이러스로 비말 감염이나, 세균 따위가 입을 통해 몸속으로 들어가는 경구 감염 등의 형태로 전염된다.

13 어패류 매개 기생충 감염의 예방법으로 가정 올바른 것은?

① 생식 금지   ② 보건교육
③ 개인위생 철저   ④ 주변 환경관리

정답 01. ②   02. ②   03. ③   04. ④   05. ④   06. ③   07. ③   08. ④   09. ③   10. ④   11. ②   12. ③   13. ①

14 온도가 미각에 영향을 미치는 현상에 대한 설명으로 틀린 것은?

① 온도가 상승함에 따라 단맛에 대한 반응이 증가한다.
② 쓴맛은 온도가 높을수록 강하게 느껴진다.
③ 신맛은 온도 변화에 거의 영향을 받지 않는다.
④ 짠맛은 온도가 높을수록 잘 느낄 수 있다.

[해설] 쓴맛은 30~40℃일 때 잘 느낀다.

15 일반적인 잼의 설탕 함량은?

① 15~25%
② 35~45%
③ 50~70%
④ 90~100%

[해설] 펙틴 0.7% 이상, 당 50~75%, pH2.8~3.2에서 gel 형성이 잘 된다.

16 다음 중 조리도구의 용도로 잘못된 것은?

① 그라인더 – 고기를 얇게 썬다.
② 믹서 – 재료를 혼합한다.
③ 필러 – 채소의 껍질을 벗긴다.
④ 휘퍼 – 재료를 혼합하거나 거품을 낸다.

[해설] 그라인더 – 고기를 간다.

17 18:2 지방산에 대한 설명으로 옳은 것은?

① 토코페롤과 같은 항산화성이 있다.
② 이중결합이 2개 있는 불포화지방산이다.
③ 탄소수가 20개이며, 리놀렌산이다.
④ 체내에서 생성되므로 음식으로 섭취하지 않아도 된다.

[해설] 18:2는 불포화지방산인 리놀레산이다. $C_{18:2}$

18 단백질의 특성에 대한 설명으로 틀린 것은?

① C, H, O, N, S, P 등의 원소로 이루어져 있다.
② 단백질은 뷰렛에 의한 청색 반응을 나타내지 않는다.
③ 조단백질은 일반적으로 질소의 양에 6.25를 곱한 값이다.
④ 아미노산은 분자 중에 아미노기와 카르복실기를 갖는다.

[해설] 뷰렛 반응은 단백질을 검출하는 반응으로, 뷰렛용액을 사용하는데 단백질이 있으면 청자색(보라색)으로 변한다.

19 떡국을 끓이고 남은 떡을 냉장보관 시 딱딱해지는 이유는?

① 단백질 : 젤화
② 지방 : 산화
③ 전분 : 노화
④ 전분 : 호화

[해설] 수분이 30~60%일 때, 온도가 0~5℃일 때, 전분 분자 중 아밀로오스의 함량이 많을수록 전분이 노화되기 쉽다.

20 찹쌀떡은 멥쌀떡에 비하여 노화가 서서히 진행되는데 무엇의 차이 때문인가?

① 쌀의 단백질
② 쌀의 무기질
③ 쌀의 섬유질
④ 쌀의 전분

[해설] 쌀의 아밀로펙틴 함량

21 과일의 광택제로 사용되며 과도한 수분 증발을 막아주고 미생물의 침입을 차단하는 성분은?

① 배당체
② 왁스
③ 섬유질
④ 콜라겐

[해설] 벌집, 연잎 등의 표면을 덮고 있는 보호물질

22 영양 결핍 증상과 원인이 되는 영양소의 연결이 틀린 것은?

① 빈혈 : 엽산
② 구순구각염 : 비타민 B_{12}
③ 야맹증 : 비타민 A
④ 괴혈병 : 비타민 C

[해설] 비타민 B_{12}는 악성빈혈을, 비타민 B_2는 구순구각염의 원인이다.

23 돈까스의 고기색이 분홍색인 이유는?

① 변질되었기 때문에
② 덜 익었기 때문에
③ 어린 돼지고기로 만들었기 때문에
④ 조리온도와 미오글로빈의 화학적 반응

24 식초를 넣은 물에 생강을 넣으면 선명한 적색으로 변하는데, 주된 원인 물질은?

① 탄닌
② 클로로필
③ 멜라닌
④ 안토시아닌

[해설] 안토시아닌은 산성에서는 붉은색, 염기성에서는 푸른색으로 변한다.

25 사과의 갈변 촉진 현상에 영향을 주는 효소는?

① 아밀라아제(Amylase)
② 리파아제(Lipase)
③ 아스코르비나아제(Ascorbinase)
④ 폴리페놀 옥시다아제(Polyphenol Oxidase)

[해설] 껍질을 벗긴 사과의 플리페놀의 물질이 폴리페놀옥시다아제에 의해 갈변물질을 형성하게 된다.

26 버터에 대한 설명으로 옳지 않은 것은?

① 단백질 함량은 70% 정도로 완전식품이다.
② 독특한 맛과 향기로 풍미가 있다.
③ 주변의 냄새를 흡수하기 때문에 밀폐저장한다.
④ 유중수적형 식품이다.

[해설] 버터의 주성분은 지방으로 80% 정도를 함유한다.

27 인산을 함유하는 복합지방질로서 유화제로 사용되는 것은?

① 레시틴
② 글리세롤
③ 스테롤
④ 글리콜

[해설] 레시틴은 인산을 함유하는 복합지방질로서 유화제로 사용된다.

28 건성유에 대한 설명으로 옳은 것은?

① 고도의 불포화지방산 함량이 많은 기름이다.
② 포화지방산 함량이 많은 기름이다.
③ 공기 중에 방치해도 피막이 형성되지 않은 기름이다.
④ 대표적인 건성유는 올리브유와 낙화생유가 있다.

정답 14. ② 15. ③ 16. ① 17. ② 18. ② 19. ③ 20. ④ 21. ② 22. ② 23. ④ 24. ④ 25. ④ 26. ① 27. ① 28. ①

[해설] 건성유는 불포화도가 높은 지방산이 다량 함유된 것이다. 공기 중에 방치하면 굳으며, 올리브유와 낙화생유는 불건성유이다. 아마인유, 호두유, 들깨유, 잣유가 건성유에 속한다.

29 달걀 저장 중에 일어나는 변화로 옳은 것은?

① pH 저하　　　　　② 중량 감소
③ 난황계수 증가　　　④ 수양난백 감소

[해설] 달걀의 신선도가 떨어지면 중량은 감소된다.

30 다음 자료를 바탕으로 제조원가를 산출하면?

직접재료비 50,000원	소모품비　7,000원
판매원급료 50,000원	직접임금 100,000원
통신비　15,000원	

① 172,000원　　　　② 210,000원
③ 215,000원　　　　④ 225,000원

[해설] 제조원가 = 직접경비 + 직접노무비 + 직접재료비 + 제조간접비
= 소모품비(7,000원) + 직접임금(100,000원) + 직접재료비(50,000원)
+ 통신비(15,000원) = 172,000원

31 식품의 관능적 요소를 겉모양, 향미, 텍스처로 구분할 때 겉모양(시각)에 해당하지 않는 것은?

① 색체　　　　　② 점성
③ 외피 결합　　　④ 점조성

[해설] 점성은 시각에 해당되지 않고 질감을 통해 알 수 있다.

32 달걀흰자로 거품을 낼 때 소량의 레몬즙을 첨가하는 이유는?

① 흰자의 등전점　　② 표백 효과
③ 향기 첨가　　　　④ 용해도 증가

[해설] 달걀흰자의 오브알부민 등전점은 pH 4.7 정도로 소량의 산을 첨가하면 기포성이 좋아진다.

33 겨자를 갤 때 매운맛을 최대한 올라오게 조리하는 온도는?

① 20~25℃　　　② 30~35℃
③ 40~45℃　　　④ 50~55℃

[해설] 겨자의 매운맛 성분인 시니그린을 분해시키는 효소인 미로시나제는 활동 최적온도가 40℃ 정도이므로 따뜻한 물에서 개어야 매운맛이 강하게 난다.

34 단시간에 조리되므로 영양소의 손실이 가장 적은 조리방법은?

① 튀김　　　② 볶음
③ 구이　　　④ 조림

[해설] 튀김은 고온으로 단시간 내에 조리하므로 영양가 손실이 적은 조리법이다.

35 미역에 대한 설명으로 틀린 것은?

① 칼슘과 요오드가 많이 함유되어 있다.
② 알칼리성 식품이다.
③ 갈조류다.
④ 점액질 물질인 알긴산은 중요한 열량급원이다.

[해설] 미역은 칼슘은 풍부하지만 100g 당 11.3kcal로 열량급원 식품은 아니다.

36 직접 가열하는 급속해동법을 사용하는 식품은?

① 생선　　　② 냉동만두
③ 삼겹살　　④ 자숙문어

[해설] 육류, 어류는 높은 온도로 해동하면 조직에 드립현상이 일어나 식감이 나빠지므로 냉장 해동을 하는 편이 좋다.

37 오징어에 대한 설명으로 틀린 것은?

① 가열하면 근육섬유와 콜라겐섬유 때문에 수축하거나 둥글게 말린다.
② 살이 붉은색을 띠는 것은 색소포에 의한 것으로 신선도와는 상관이 없다.
③ 신선한 오징어는 무색투명하며, 껍질에는 짙은 적갈색의 색소포가 있다.
④ 오징어가 잡힌 뒤 하루가 지나면 유백색으로 변한다.

[해설] 오징어는 적갈색이나 유백색을 띠는 것이 신선하다.

38 전체 식수가 3,000명이고 식수 변동률은 1.1, 식기 파손율을 1.12로 하였을 때 식기의 필요량은?

① 3,541개　　　② 3,531개
③ 3,521개　　　④ 3,696개

[해설] 식기 필요량 = 전체 이용고객의 수 × 식수 변동률 × 식기 파손율
= 3,000 × 1.1 × 1.12 = 3,696개

39 영양 권장량에 대한 설명으로 틀린 것은?

① 권장량의 값은 다양한 가정을 전제로 하여 제정된다.
② 권장량은 필요량보다 높다.
③ 권장량은 식생활 자료를 기초로 하여 구해진 값이다.
④ 보충제를 통하여 섭취 시 흡수율이나 대사상의 문제점도 고려한 값이다.

[해설] 보충제의 섭취는 영양 권장량에 고려하지 않는다.

40 납 중독에 대한 설명으로 틀린 것은?

① 대부분 만성중독이다.
② 뼈에 축적되거나 골수에 대해 독성을 나타내므로 혈액장애를 일으킬 수 있다.
③ 손과 발의 각화증 등을 일으킨다.
④ 잇몸의 가장자리가 흑자색으로 착색된다.

[해설] 납 중독은 중추신경장애, 신장 소화 기능장애를 일으킨다.

41 여성이 임신 중에 감염될 경우 유산과 불임을 포함하여 태아에 이상을 유발할 수 있는 인수공통감염병과 관계되는 기생충은?

① 회충　　　② 십이지장충
③ 간디스토마　④ 톡소플라스마

[해설] 톡소플라스마증은 고양이의 배설물에서 생기는 기생충으로 임신 초기에 감염될 경우 저체중아, 황달을 유발하게 되고 태아의 뇌석회화가 진행된다.

정답　29.② 30.① 31.② 32.① 33.③ 34.① 35.④ 36.② 37.② 38.④ 39.④ 40.③ 41.④

42 영업허가를 받거나 신고를 하지 않아도 되는 경우는?

① 주로 주류를 조리·판매하는 영업으로서 손님이 노래를 부르는 행위가 허용되는 영업을 하려는 경우

② 보건복지부령이 정하는 식품 또는 식품첨가물의 완제품을 나누어 유통을 목적으로 재포장·판매하려는 경우

③ 방사선을 쬐어 식품의 보존성을 물리적으로 높이려는 경우

④ 식품첨가물이나 다른 원료를 사용하지 아니하고 단감 껍질을 벗겨 곶감을 만들려는 경우

[해설] 허가를 받아야 하는 영업에는 식품조사처리업, 단란주점영업, 유흥주점영업이 있다. 식품첨가물이나 다른 원료를 사용하지 아니하고 농산물을 단순히 껍질을 벗겨 가공하려는 경우는 영업신고를 하지 않아도 된다.

43 일반음식점영업 중 모범업소를 지정할 수 있는 권한을 가진 자는?

① 시장　　　　　　　② 경찰서장
③ 보건소장　　　　　④ 세무서장

[해설] 모범업소의 지정은 특별자치도지사·시장·군수·구청장이 가능하다.

44 두부 제조의 주체가 되는 성분은?

① 레시틴　　　　　　② 글리시닌
③ 자당　　　　　　　④ 키틴

[해설] 대두단백질 글리시닌은 황산칼슘, 염화마그네슘, 염화칼슘 등의 두부 응고제와 열에 응고되는 성질을 이용하여 두부를 만든다.

45 아이스크림 제조 시 사용되는 안정제는?

① 전화당　　　　　　② 바닐라
③ 레시틴　　　　　　④ 젤라틴

[해설] 젤라틴은 젤리, 아이스크림, 푸딩의 제조에 사용된다.

46 육류 사후강직의 원인 물질은?

① 젤라틴　　　　　　② 엘라스틴
③ 카로틴　　　　　　④ 액토미오신

[해설] 사후강직은 미오신과 액틴이 결합된 액토미오신에 의해 발생한다.

47 튀김요리를 할 때 옳은 것은?

① 튀김 재료는 한 번에 넣고 튀겨야 상태가 똑같이 튀겨진다.
② 튀김기름은 적을수록 좋다.
③ 이물질은 제거하면서 튀긴다.
④ 재료의 양은 기름 양의 1/2 정도가 적당하다.

[해설] 재료의 양은 기름 양의 1/3정도가 적당하며 튀김재료를 한 번에 넣게 되면 온도가 내려가게 되어 재료가 기름을 많이 흡수하게 된다.

48 한천에 대한 설명으로 틀린 것은?

① 겔은 고온에서 잘 견디므로 안정제로 사용된다.
② 홍조류의 세포벽 성분인 점질성의 복합다당류를 추출하여 만든다.
③ 30℃ 부근에서 굳어져 겔화된다.
④ 일단 겔화되면 100℃ 이하에서는 녹지 않는다.

[해설] 한천의 용해온도는 80~100℃이고 겔화되더라도 다시 녹일 수 있다.

49 가공치즈의 설명을 틀린 것은?

① 자연치즈에 유화제를 가하여 가열한 것이다.
② 일반적으로 자연치즈보다 저장성이 크다.
③ 약 85℃에서 살균하여 Pasteurized Cheese라고도 한다.
④ 원료에 자연치즈를 사용하지 않는다.

[해설] 가공치즈는 우유를 응고·발효시켜 만든 치즈나 자연 치즈 두 가지 이상을 혼합하고 유화제와 함께 가열·용해하여 균질하게 가공한 치즈를 말한다.

50 단체급식에서 식품을 구매하고자 할 때 식품단가는 최소한 어느 정도 점검해야 하는가?

① 1개월에 2회　　　　② 2개월에 1회
③ 3개월에 1회　　　　④ 4개월에 2회

51 다음 중 조리를 하는 목적으로 적합하지 않은 것은?

① 소화흡수율을 높여 영양효과를 증진
② 식품 자체의 부족한 영양성분을 보충
③ 풍미, 외관을 향상시켜 기호성을 증진
④ 세균 등의 위해요소로부터 안전성 확보

[해설] 조리과정에서 부족한 영양성분이 채워지지는 않는다.

52 병원체가 인체에 침입한 후 자각적·타각적 임상증상이 발병할 때까지의 기간은?

① 세대기　　　　　　② 질환기
③ 잠복기　　　　　　④ 전염기

[해설] ① 세대기 – 감염 후 균 배출이 최대일 때
　　　 ② 질환기 – 질병의 증상과 징후가 출현되지 않은 단계

53 하천수의 용존산소(DO)량이 적은 것과 가장 관계 깊은 것은?

① 하천수의 온도가 하강하였다.
② 가정하수, 공장폐수 등에 의해 많이 오염되었다.
③ 중금속의 오염이 심하다.
④ 비가 내린지 얼마 안 되었다.

[해설] 용존산소량(dissolved oxygen)은 물속에 녹아있는 산소의 양을 말하며 수질의 지표로 사용된다. 적조현상과 같이 플랑크톤 등의 생물이 이상 증식하는 경우, 용존산소량이 매우 적어진다.

54 다음 중 맑은 수프가 아닌 것은?

① 가스파쵸　　　　　② 콘소메
③ 맑은 채소 수프　　④ 브로스

[해설] ※ 가스파쵸 – 차가운 토마토 수프다.
　　　 ② 콘소메 – 맑은 고깃국물로 된 수프의 일종
　　　 ④ 브로스 – 고기 등으로 국물을 단시간 살짝 우려낸 뒤에 따로 걸러내지 않은 맑은 국물

55 다음 소스 중 색이 다른 것은?

① 에스파뇰(espagnole)　　② 데미글라스(demi-glace)
③ 토마토 소스(tomate)　　④ 벨루테(veloute)

[해설] 벨루테(veloute)는 흰색 소스의 종류다.

56 라틴어의 'salsus'에서 유래한 'sauce'는 음식의 풍미를 더해주거나 식욕을 돋우는 역할을 한다. 'salsus'가 뜻하는 것은?

① stock
② salt
③ salsa
④ sugar

57 육류에 마리네이드를 하는 이유로 옳지 않은 것은?

① 누린내 제거
② 육질을 단단하게 한다.
③ 간을 맞춘다.
④ 향미를 준다.

[해설] 마리네이드의 기능 중 하나는 육질의 연화다.

58 건식열 조리법이 아닌 것은?

① Broiling
② Sauteing
③ Griling
④ Blanching

[해설] Blanching – 물이나 기름에 데치는 방법

59 중조를 넣어 콩을 삶으면 가장 문제가 되는 것은?

① 비타민 B, 의 파괴가 촉진된다.
② 콩이 잘 무르지 않는다.
③ 조리시간이 길어진다.
④ 조리수가 많이 필요하다.

60 판매 관리비가 아닌 것은?

① 판매원 급여 및 수당
② 판매 수수료
③ 세금과 공과
④ 차량 유지비

[해설] 세금과 공과는 일반 관리비에 속한다.

01 식품의 산패에 관한 설명으로 잘못된 것은?

① 식품에 들어있는 지방질이 산화되는 현상이다.
② 맛, 냄새가 변한다.
③ 유지가 가수분해되어 일어나기도 한다.
④ 부패와 반응 기질이 같다.

[해설] 부패는 단백질 식품이 혐기성 미생물에 의해 변질되는 것이고, 산패는 지방질 식품(유지)이 산화되어 변질되는 것이다.

02 어육의 초기 부패 시에 나타나는 휘발성 염기질소의 양은?

① 5~10mg%   ② 15~25mg%
③ 30~40mg%   ④ 50mg% 이상

[해설] 어육의 초기 부패를 판정하는 휘발성 염기질소의 양은 30~40mg%이다.

03 전염병의 예방 대책으로 적절하지 않은 것은?

① 병원소 제거   ② 환자 격리
③ 예방접종   ④ 식품 냉장보관

[해설] 식품 냉장보관은 식중독 예방대책이다.

04 생육조건 중 수분활성도가 가장 높은 것은?

① 바이러스   ② 세균
③ 곰팡이   ④ 효모

[해설] 수분 활성도 : 세균 〉 효모 〉 곰팡이

05 식중독에 관한 설명으로 틀린 것은?

① 자연독이나 유해 물질이 함유된 음식물을 섭취함으로써 생긴다.
② 발열, 구역질, 구토, 설사, 복통 등의 증세가 나타난다.
③ 세균, 곰팡이, 화학물질 등이 원인물질이다.
④ 대표적인 식중독은 콜레라, 세균성 이질, 장티푸스 등이 있다.

[해설] 콜레라, 세균성 이질, 장티푸스는 미생물에 의한 감염병이다.

06 통조림, 병조림과 같은 밀봉 식품의 부패가 원인이 되는 식중독과 가장 관계가 깊은 것은?

① 살모넬라 식중독
② 클로스트리디움 보툴리눔 식중독
③ 포도상구균 식중독
④ 리스테리아균 식중독

[해설] 클로스트리디움 보툴리눔 식중독은 살균이 불충분한 통조림, 병조림의 부패가 원인이 된다.

07 전분을 덱스트린으로 변화시키는 효소는?

① 말타아제   ② 베아스타제
③ α-아밀라아제   ④ β-아밀라아제

[해설] ① 말타제 - 맥아당 분해효소
② 베아스타제 - 무에 함유되어 있는 소화효소
④ β-아밀라아제 - 덱스트린을 분해하여 맥아당을 형성한다.

08 미숙한 매실이나 살구씨에 존재하는 독성분은?

① 라이코린   ② 하이오사이어마인
③ 리신   ④ 아미그달린

[해설] 미숙한 매실, 살구씨에 존재하는 독성분은 아미그달린이다.

09 아플라톡신에 대한 설명으로 틀린 것은?

① 기질수분 16% 이상, 상대습도 80~85% 이상에서 생성한다.
② 탄수화물이 풍부한 곡물에서 많이 발생한다.
③ 열에 비교적 약하며 100℃에서 쉽게 불활성화된다.
④ 강산이나 강알칼리에서 쉽게 분해되어 불활성화된다.

[해설] 아플라톡신은 열에 강하며 280~300℃로 가열해야 분해된다.

10 엔테로톡신에 대한 설명으로 옳은 것은?

① 해조류 식품에 많이 들어있다.
② 100℃에서 10분간 가열하면 파괴된다.
③ 황색포도상구균이 생성한다.
④ 잠복기는 2~5일이다.

[해설] ① 원인 식품으로는 김밥, 떡 등이 있다.
② 120℃에서 20분간 가열해도 파괴되지 않는다.
④ 잠복기는 평균 3시간이다.

11 쥐가 매개하는 질병이 아닌 것은?

① 살모넬라증   ② 아니사키스충
③ 유행성 출혈열   ④ 페스트

[해설] 아니사키스충은 고래, 오징어의 기생충이다.

12 다음 중 음식물과 상관없는 감염병은?

① 일본뇌염   ② 대장균 식중독
③ 장염비브리오   ④ 콜레라

[해설] 일본뇌염의 경우 매개체는 모기임

13 돼지고기를 완전히 익히지 않고 먹었을 경우 감염될 가능성이 있는 기생충은?

① 무구조충   ② 선모충
③ 만손열두조충   ④ 아니사키스충

[해설] ※ 선충류에 속하는 선모충, 유구촌충은 돼지고기를 덜 익히고 섭취했을 때 감염되는 기생충이다.
① 무구조충 - 소
③ 만손열두조충 - 뱀, 개구리
④ 아니사키스충 - 고래, 오징어의 기생충이다.

14 벼의 왕겨층을 제거하고 배아, 배유, 섬유소를 포함하고 있는 것은?

① 백미   ② 5분도미
③ 찹쌀   ④ 현미

15 생선류가 자가소화를 일으키며 부패하는 이유는?

① 호렴성 세균　　② 산가가 높다.
③ 질소 함량이 높다.　　④ 단백질 분해효소

16 무기질 함유량이 많고 배추 절이기, 젓갈 담기에 사용되는 소금의 종류는?

① 정제염　　② 호렴
③ 맛소금　　④ 죽염

[해설]　① 정제염 – 바닷물을 여과와 침전, 이온교환막 통과 등의 과정을 거쳐 농축한
　　　　불순물 없는 순수 소금
　　　③ 맛소금 – 정제염에 MSG(글루탐산나트륨)을 첨가해 감칠맛이 나게 만든
　　　　소금
　　　④ 죽염 – 대나무 통 속에 넣어 고온에서 여러 번 구운 소금

17 경구감염병과 세균성 식중독의 주요 차이점에 대한 설명으로 옳은 것은?

① 경구감염병은 다량의 균으로, 세균성 식중독은 소량의 균으로 발병한다.
② 세균성 식중독은 2차 감염이 많고, 경구감염병은 거의 없다.
③ 경구감염병은 면역성이 없고, 세균성 식중독은 있는 경우가 많다.
④ 세균성 식중독은 잠복기가 짧고, 경구감염병은 일반적으로 길다.

[해설]　① 경구감염병은 소량의 균으로, 세균성 식중독은 다량의 균으로 발병한다.
　　　② 세균성 식중독은 2차 감염이 거의 없고, 경구감염병은 2차 감염이 있다.
　　　③ 경구감염병은 면역성이 있고, 세균성 식중독은 면역성이 없다.

18 접촉 감염지수가 가장 높은 질병은?

① 유행성이하선염　　② 홍역
③ 성홍열　　④ 디프테리아

[해설]　접촉 감염지수는 홍역·천연두(95%), 백일해(60~80%), 성홍열(40%), 디프
　　　테리아(10%), 소아마비(0.1) 순으로 낮아진다.

19 세계보건기구(W.H.O)의 주요 기능이 아닌 것은?

① 국제적인 보건사업의 지휘 및 조정
② 회원국에 대한 기술 지원 및 자료 공급
③ 세계식량계획 설립
④ 유행성 질병 및 전염병 대책 후원

[해설]　세계식량계획의 설립은 유엔세계식량계획(W.F.P)의 기능이다.

20 이산화탄소(CO_2)를 실내공기의 오탁지표로 사용하는 가장 주된 이유는?

① 유독성이 강하므로
② 실내공기 조성의 전반적인 상태를 알 수 있으므로
③ 일산화탄소로 변화되므로
④ 항상 산소량과 반비례하므로

[해설]　이산화탄소는 무색, 무취의 비독성 가스로 이를 통해 전반적인 공기의 조성
　　　상태를 알 수 있어 실내공기오염 정도의 지표로 사용된다.

21 구충·구서의 일반 원칙과 가장 거리가 먼 것은?

① 구제 대상동물의 발생원을 제거한다.
② 대상동물의 생태, 습성에 따라 실시한다.
③ 광범위하게 동시에 실시한다.
④ 성충이 된 후에 구제한다.

[해설]　구충·구서는 발생 초기에 실시하는 것이 성충 시기보다 효과적이다.

22 공기 중에 일산화탄소가 많으면 중독을 일으키게 되는데 중독증상의 주된 원인은?

① 근육의 경직　　② 조직세포의 산소 부족
③ 혈압의 상승　　④ 간세포의 지방간화

[해설]　일산화탄소는 주로 불완전 연소 시 발생하는 무색, 무취, 무미의 맹독성
　　　기체로 체내 헤모글로빈과 친화력이 강하여 일산화탄소가 많을 경우 혈액
　　　내 산소 결핍증을 초래한다.

23 유리규산의 분진 흡입으로 폐에 만성 섬유증식을 유발하는 질병은?

① 규폐증　　② 철폐증
③ 면폐증　　④ 유기분진 독성증후군

[해설]　규폐증은 유리규산의 분진을 흡입하여 폐에 만성의 섬유 증식을 일으키는
　　　질환이다.

24 초기 청력장애 시 직업성 난청을 조기 발견할 수 있는 주파수는?

① 1,000Hz　　② 2,000Hz
③ 3,000Hz　　④ 4,000Hz

[해설]　청력의 저하는 처음 주파수의 높은 소리 4,000Hz에 가까운 소리)에 대하여
　　　나타나지만, 대화에 지장을 받지 않는다. 하지만 청력장애가 진행될수록
　　　일상생활에 큰 지장을 주게 되고, 대화음역(500~2,000Hz)에 미쳤을 때
　　　난청을 자각한다.

25 숫돌의 사용 방법으로 옳지 않은 것은?

① 숫돌 사용 시 받침대나 젖은 행주를 깔아 숫돌이 밀리지 않도록 고정시켜 준다.
② 숫돌에 물이 닿으면 칼이 곱게 갈리지 않으므로 칼 갈기가 끝난 후에 물을 묻히도록 한다.
③ 숫돌을 사용 후에는 평평한 바닥이나 조금 거친 숫돌로 면 고르기를 해 준다.
④ 사용이 끝난 숫돌은 깨끗이 닦아 보관한다.

[해설]　숫돌은 사용 전 미리 물에 10~20분간 담가 충분히 물을 흡수시켜 주고 칼을
　　　가는 중간에도 계속해서 물을 적셔 주어야만 지분이 생겨 부드럽게 갈린다.

26 영양소와 급원식품의 연결이 옳은 것은?

① 동물성 단백질 – 두부, 소고기
② 비타민 A – 당근, 미역
③ 필수지방산 – 대두유, 버터
④ 칼슘 – 우유, 멸치

[해설]　칼슘의 급원식품으로는 우유, 멸치 외에도 치즈, 요구르트, 아이스크림 등이
　　　있다.

27 식품을 저온 처리할 때 단백질에서 나타나는 변화가 아닌 것은?

① 가수분해　　② 탈수현상
③ 생물학적 활성 파괴　　④ 용해도 증가

[해설]　식품을 저온 처리 시 단백질에서 나타나는 변화에는 가수분해, 탈수현상,
　　　생물학적 활성 파괴, 용해도 감소가 있다.

28 식품의 성분을 일반성분과 특수성분으로 나눌 때 특수성분에 해당하는 것은?

① 탄수화물　　　　　　② 향미 성분
③ 단백질　　　　　　　④ 무기질

[해설] 특수성분에는 색 성분, 향기 성분, 맛 성분, 효소, 독성 성분이 있다. 그 외 수분, 유기질, 무기질은 일반성분에 해당한다.

29 식품의 산성 및 알칼리성을 결정하는 기준 성분은?

① 필수지방산 존재 여부　　② 필수 아미노산 존재 여부
③ 구성 탄수화물　　　　　④ 구성 무기질

[해설] 조회분 측정은 식품을 연소한 후 남은 물질이고, 조화분을 물에 녹여 측정된 pH가 7 이하이면 산성, 7 이상이면 알칼리성식품이라 한다.

30 조리 시 나타나는 현상과 그 원인이 되는 색소의 연결이 옳은 것은?

① 산성 성분이 많은 물로 지은 밥의 색이 누런 것은 클로로필 색소 때문이다.
② 양배추 피클이 갈색을 띄는 이유는 플라보노이드 색소 때문이다.
③ 탄닌의 작용으로 커피를 경수로 끓이면 그 표면이 갈색이다.
④ 데친 시금치가 누렇게 되는 것은 안토시안 색소 때문이다.

[해설] 커피를 경수로 끓이게 되면 물의 칼슘과 마그네슘 성분 때문에 커피의 맛을 내는 카페인과 탄닌의 침출이 나빠져 맛이 좋지 않다.

31 카로티노이드에 대한 설명으로 옳은 것은?

① 클로로필과 공존하는 경우가 많다.
② 산화효소에 의해 쉽게 산화되지 않는다.
③ 햇빛에 대해서 안정하다.
④ 수용성이다.

[해설] 카로티노이드는 유색체에 존재하거나 채소나 과일의 엽록체에서 클로로필과 함께 존재한다.

32 강한 환원력으로 식품 가공에서 갈변이나 향이 변하는 산화반응을 억제하는 효과가 있어 안전하고 실용성이 높은 산화 방지제로 사용되는 것은?

① 티아민　　　　　　　② 나이아신
③ 리보플라빈　　　　　④ 아스코르빈산

[해설] 아스코르빈산은 비타민 C로, 산화 방지제로서의 기능이 있다.

33 식품과 대표적인 맛 성분유기산의 연결이 잘못된 것은?

① 포도 - 주석산　　　　② 감귤 - 구연산
③ 사과 - 사과산　　　　④ 치즈 - 호박산

[해설] 호박산은 양조식품, 어패류, 사과, 딸기 등에 함유되어 있으며 감칠맛도 난다.

34 다음 중 사과, 배 등 신선한 과일의 갈변현상을 방지하기 위한 가장 좋은 방법은?

① 철제 칼로 껍질을 벗긴다.
② 뜨거운 물에 넣었다 꺼낸다.
③ 레몬즙에 담가 둔다.
④ 신선한 공기와 접촉시킨다.

[해설] pH 3.0 이하에서는 불활성화되므로, 사과, 배 등을 레몬즙이나 라임즙 등의 과즙에 담가 두면 갈변을 지연시킬 수 있다.

35 설탕용액이 캐러멜로 되는 일반적인 온도는?

① 50~60℃　　　　　　② 70~80℃
③ 100~110℃　　　　　④ 160~180℃

[해설] 설탕용액이 캐러멜로 되는 온도는 160~180℃

36 과일이 성숙함에 따라 일어나는 성분 변화가 아닌 것은?

① 과육은 점차로 연해진다.
② 엽록소가 분해되면서 푸른색은 옅어진다.
③ 비타민 C와 카로틴 함량이 증가한다.
④ 탄닌은 증가한다.

[해설] 탄닌은 떫은맛으로 미숙과에 많이 함유되어 있지만, 성숙할수록 감소된다.

37 어패류 조리방법 중 틀린 것은?

① 조개류는 낮은 온도에서 서서히 조리하여야 단백질의 급격한 응고로 인한 수축을 막을 수 있다.
② 생선은 결체조직의 함량이 높으므로 주로 습열조리법을 사용해야 한다.
③ 생선조리 시 약간의 식초나 레몬즙을 넣으면 생선이 단단해진다.
④ 생선조리 시 파, 마늘, 양파를 사용하면 비린내 제거에 효과적이다.

[해설] 생선은 결체조직의 함량이 낮다.

38 우유에 함유된 단백질이 아닌 것은?

① 락토오스　　　　　　② 카세인
③ 락트알부민　　　　　④ 락토글로불린

[해설] 락토오스는 유당으로 탄수화물에 해당한다.

39 조절 영양소가 비교적 많이 함유된 식품을 구성된 것은?

① 시금치, 파래, 딸기　　② 소고기, 달걀, 두부
③ 두부, 감자, 쇠고기　　④ 쌀, 감자, 달걀

[해설] 조절 영양소란 비타민, 무기질, 물 등으로 채소, 과일, 해조류가 있다.

40 복어와 바지락에서의 식중독 독성물질을 맞게 연결한 것은?

① 테트로도톡신, 아플라톡신　② 삭시톡신, 베네루핀
③ 무스카린, 삭시톡신　　　④ 테트로도톡신, 베네루핀

[해설] 아플라톡신은 땅콩 등의 견과류, 삭시톡신은 섭조개, 무스카린은 버섯의 독성분이다.

41 조리작업장의 위치 선정 조건으로 적합하지 않은 것은?

① 보온성이 좋은 지하
② 통풍이 잘 되고 밝은 곳
③ 음식의 운반과 배선이 편리한 곳
④ 재료의 반입과 오물의 반출이 쉬운 곳

[해설] 지하에 조리작업장이 위치하면 통풍과 채광이 좋지 않기 때문에 적합하지 않다.

3일완성 양식조리기능사 필기시험 총정리

42 콩으로 만든 식품 중 발효과정이 있는 것은?

① 두부　　　　　　　　② 유부
③ 땅콩버터　　　　　　④ 된장

[해설] 된장은 대표적 발효식품이다.

43 조리방법에 대한 설명으로 틀린 것은?

① 무초절임을 할 때 얇게 썬 무를 식소다 물에 담가두면 무의 색소 성분이 알칼리에 의해 더욱 희게 유지된다.
② 사과를 깎은 후 레몬즙을 뿌려 효소작용을 억제시켰다.
③ 우족의 핏물을 우려내기 위해 찬물에 담가 수용성 헤모글로빈을 용출시켰다.
④ 양송이 다짐에 레몬즙을 뿌려 색이 변하는 것을 억제시켰다.

[해설] 무에 들어 있는 색소는 플라보노이드계 색소인 안토잔틴으로, 산에는 안정 하여 흰색을 유지하지만 알칼리에는 진한 황색으로 변한다.

44 생선 손질법으로 틀린 것은?

① 흐르는 물에 씻는다.
② 10% 소금물에 담근다.
③ 표면의 점액질을 깨끗하게 씻어낸다.
④ 칼집을 낸 후에는 안 씻는 편이 좋다.

[해설] 소금물의 농도는 2~3%가 좋으나 가능한 흐르는 물로 씻는 것이 좋다.

45 냉동보관에 대한 설명으로 틀린 것은?

① 냉동된 닭을 조리할 때 뼈가 검게 변하기 쉽다.
② 떡의 노화 방지를 위해서는 냉동보관하는 것이 좋다.
③ 급속냉동 시 얼음 결정이 크게 형성되어 식품의 조직 파괴가 크다.
④ 서서히 동결하면 해동 시 드립 현상을 초래하여 식품의 질이 저하 된다.

[해설] 급속냉동 시 얼음 결정이 작게 형성되어 식품의 조직 파괴가 적다.

46 전자레인지의 주된 조리원리는?

① 복사　　　　　　　　② 전도
③ 대류　　　　　　　　④ 초단파

[해설] 전자레인지는 전기에너지를 마그네트론 장치에서 극초단파로 발생시켜 식품 내부에서 열을 발생시키는 원리를 통해 식품을 가열하는 장치이다.

47 원가의 구성으로 옳은 것은?

① 판매가격 = 이익 + 제조원가
② 직접원가 = 직접재료비 + 직접노무비 + 직접경비
③ 총원가 = 제조간접비 + 직접원가
④ 제조원가 = 판매경비 + 일반관리비 + 제조간접비

[해설] ① 판매가격 = 이익 + 총원가
③ 총원가 = 제조간접비 + 판매관리비 + 직접원가
④ 제조원가 = 직접경비 + 직접노무비 직접재료비 + 제조간접비

48 총비용과 총수익(판매액)이 일치하여 이익도 손실도 발생되지 않는 기점은?

① 매상선점　　　　　　② 가격결정점
③ 손익분기점　　　　　④ 한계이익점

[해설] 손익분기점은 수익과 총비용이 일치하는 지점으로, 이익이나 손실이 발생 하지 않는 지점이다.

49 작업장에서 발생하는 작업의 흐름에 따라 시설과 기기를 배치할 때 작업의 흐름이 순서대로 연결된 것은?

㉠ 전처리	㉡ 배식
㉢ 식기 세척 · 수납	㉣ 조리
㉤ 식재료의 구매 · 검수	

① ㉤ - ㉠ - ㉣ - ㉡ - ㉢
② ㉠ - ㉡ - ㉢ - ㉣ - ㉤
③ ㉤ - ㉣ - ㉡ - ㉠ - ㉢
④ ㉢ - ㉠ - ㉣ - ㉣ - ㉤ - ㉡

[해설] 작업의 흐름은 식재료의 구매·검수 → 전처리(씻기, 썰기, 다듬기) → 조리 → 장식 및 배식 → 식기 세척, 수납 순이다.

50 무쇠로 만들어져 음식을 볶을 때 사용하는 속이 깊은 프라이팬은?

① 편수 팬　　　　　　② 그릴 팬
③ 사각 팬　　　　　　④ 중화 팬

[해설] 편수 팬 - 손잡이가 하나만 있는 팬

51 튀김온도를 바르게 연결한 것은?

① 약과 : 140~150℃
② 두부 : 180℃
③ 감자튀김 · 양파튀김 : 160~170℃
④ 닭 · 생선 · 도넛 : 150~160℃

[해설] 약과 - 140~150℃

52 못처럼 생겨 정향이라 하며 양고기, 피클, 마리네이드에 이용되는 향신료는?

① 클로브　　　　　　　② 스타아니스
③ 고수　　　　　　　　④ 와일드마조람

53 음식에서의 기름의 역할이 아닌 것은?

① 열전달 체의 역할
② 음식을 부드럽게 한다.
③ 유지를 트랜스지방화시켜 바삭함을 준다.
④ 음식에 향을 증가시킨다.

[해설] 트랜스지방은 LDL을 상승시켜 관상동맥질환을 일으킬 우려가 있으므로 섭취를 줄이는 것이 좋다.

54 파스타면 속에 심이 있는 채로 삶아낸 것은?

① 알덴테　　　　　　　② 안단테
③ 포르테　　　　　　　④ 액센트

[해설] ① 알덴테(al dente) - 파스타류를 이로 끊어 보아서 너무 부드럽지도 않고 과하게 조리되어 물컹거리지도 않아 약간의 저항력을 가지고 있어 씹는 촉감이 느껴지는 정도
② 안단테(Andante) - 음악의 빠르기를 나타내는 말
③ 포르테(Forte) - 이탈리아어로 "강하게"라는 뜻이다. 음악에서 음의 세기를 지시하는 악상 기호
④ 액센트(accent) - 언어의 강세 또는 억양

55 잎을 건조시켜 만드는 향신료는?

① 계지 ② 넛맥
③ 팔각 ④ 오레가노

56 식품의 조리. 가공 시 발생하는 갈변현상 중 효소가 관계하는 것은?

① 페놀성 물질의 산화. 축합에 의한 멜라닌(Melanin)형성 반응
② 마이야르(Maillard) 반응
③ 캐러멜화(Caramelization) 반응
④ 아스코르빈산(Ascorbic acid) 산화 반응

[해설] ②, ③, ④ 비효소적 갈변

57 훈연에 대한 설명으로 옳지 않은 것은?

① 훈연하는 목적은 육류의 풍미를 좋게 하기 위함이다.
② 훈연하는 나무로는 소나무가 우수하다.
③ 육류 훈연 시 보존기간이 늘어난다.
④ 햄, 베이컨, 소시지는 대표적인 훈연제품이다.

[해설] 훈연 시 사용되는 나무에는 떡갈나무, 참나무 등이 있다. 소나무는 수지
(송진)가 많아 적당하지 않다.

58 육질등급을 나누는 항목에 포함되지 않는 것은?

① 근내 지방도 ② 육색
③ 지방 두께 ④ 조직감

[해설] 육질등급은 근내 지방도, 육색, 조직감, 성숙도, 지방색

59 외식 창업의 구성요소로 맞지 않는 것은?

① 창업 아이디어 ② 창업 자본
③ 창업자 ④ 동업자

[해설] 동업자는 외식 창업의 구성 요소에 포함되지 않는다.

60 와인잔의 구조 중 와인을 마실 때 입술이 닿는 부분으로 잔의 볼
보다 지름이 작고 얇은 이것의 명칭은?

① 림 ② 스템
③ 베이스 ④ 글라스

[해설] ※ "림" 또는 "립"이라 한다.
② 스템 – 주로 와인 잔을 잡는 부분
③ 베이스 – 와인 잔의 바닥 부분

01 식품 등의 표시기준상 영양성분별 세부표시 방법에 의거하여 콜레스테롤의 함량을 "0" 으로 표시할 수 있는 기준은?

① 성분이 검출되지 않은 경우 ② 2mg 미만일 때
③ 5mg 미만일 때 ④ 10mg 미만일 때

[해설] 콜레스테롤의 단위는 mg으로 표시하되, 그대로 표시하거나 그 값에 가장 가까운 5mg 단위로 표시하여야 한다. 2mg 미만은 "0"으로 표시할 수 있다.

02 식품위생법령상 영업허가를 받아야 하는 업종은?

① 식품제조가공업 ② 즉석판매제조가공업
③ 일반음식점영업 ④ 식품조사처리업

[해설] 허가를 받아야 하는 영업은 식품조사처리업, 단란주점영업, 유흥주점영업이다.

03 어패류의 생식 시 주로 나타나며, 수양성 설사 증상을 일으키는 식중독의 원인균은?

① 살모넬라균 ② 장염비브리오균
③ 포도상구균 ④ 클로스트리디움 보툴리눔균

[해설] 장염비브리오균은 어패류의 생식 시 주로 나타나며, 수양성 설사 증상을 일으키는 식중독의 원인균이다.

04 HACCP의 7원칙에 해당하지 않는 것은?

① 위해 요소 분석 ② 중요 관리점 결정
③ 공정 흐름도 작성 ④ 개선 조치 방법 수립

[해설] 공정 흐름도 작성은 HACCP의 준비단계 5절차에 해당한다.

05 만성중독의 경우 반상치, 골경화증, 체중감소, 빈혈 등을 나타내는 물질은?

① 붕산 ② 불소
③ 승홍 ④ 포르말린

[해설] 불소에 의한 만성중독은 반상치, 골경화증, 체중감소, 빈혈 등을 나타낸다. 붕산, 승홍은 유해보존료이고, 포르말린은 소독제이다.

06 소음의 측정 단위인 db(decibel)이 나타내는 것은?

① 음파 ② 음속
③ 음역 ④ 음압

[해설] 데시벨은 사람이 들을 수 있는 소리의 강도를 나타내는 단위이다.

07 우유의 살균 방법으로 130~150℃에서 2초간 가열하는 것은?

① 저온살균법
② 고압증기멸균법
③ 고온단시간살균법
④ 초고온순간살균법

[해설] 초고온순간살균법은 130~140℃에서 2초간 살균한다.

08 화학물질에 의한 중독 중 시신경의 염증으로 실명이 될 수 있는 물질은?

① 메틸알코올 ② 에틸알코올
③ 청산가리 ④ 수은

[해설] 메틸알코올 중독 증세는 호흡곤란, 시력장애, 뇌신경 장애, 사지의 불완전 마비 등이다.
치사량은 100~250㎖ 이고, 7~10㎖ 로 실명한다.

09 위험도 경감의 원칙 3가지 구성요소에 해당하지 않는 것은?

① 사람 ② 환경
③ 절차 ④ 장비

[해설] 위험도 경감의 원칙 3가지 구성요소는 사람, 절차, 장비이다.

10 주방 내 안전사고 유형 중 인적 사고 원인이 아닌 것은?

① 정서적 요인 ② 행동적 요인
③ 생리적 요인 ④ 시설 요인

[해설] 주방 내 안전사고 유형 중 인적 안전사고 원인은 개인의 정서적 요인, 행동적 요인, 생리적 요인이다. 시설 요인은 물적 안전사고 원인에 해당한다.

11 생선 및 육류의 초기 부패 판정 시 지표가 되는 물질에 해당되지 않는 것은?

① 휘발성염기질소 ② 암모니아
③ 트리메틸아민 ④ 아크롤레인

[해설] 아크롤레인은 유지가 발연점 이상 가열되어서 그을음이 발생할 때 그 연기를 말한다.

12 클로스트리디움 보툴리눔 식중독을 일으키는 주된 원인 식품은?

① 통조림 식품 ② 채소류
③ 과일류 ④ 곡류

[해설] 클로스트리디움 보툴리눔 식중독은 통조림 식품이 원인 식품으로 특이한 신경 증상, 눈의 시력저하, 동공확대, 청각마비, 언어장애 등의 증상을 보이며 치사율이 높다.

13 인수공통감염병에 대한 설명으로 틀린 것은?

① 사람과 동물 사이에 동일한 병원체에 의해 발생한다.
② 병원체가 들어있는 육류 또는 유제품 섭취 시 감염될 수 있다.
③ 결핵, 파상열이 해당한다.
④ 탄저병은 브루셀라균에 의해 발생한다.

[해설] 탄저병은 탄저균(Bacillus anthracis)의 포자에 의해 발생하는 감염병의 하나이다.

14 식중독을 일으키는 세균과 바이러스에 대한 설명으로 틀린 것은?

① 세균은 온도, 습도, 영양성분 등이 적정하면 자체 증식이 가능하다.
② 바이러스에 의한 식중독은 미량(10~100)의 개체로도 발병이 가능하다.
③ 독소형 식중독은 감염형 식중독에 비해 비교적 잠복기가 짧다.
④ 바이러스에 의한 식중독은 일반적인 치료법이나 백신이 개발되어 있다.

[해설] 바이러스는 일반적인 치료법이나 백신이 개발되어 있지 않다.

15 식품에서 미생물의 증식을 억제하여 부패를 방지하는 방법으로 가장 거리가 먼 것은?

① 저온　　　　　　　　② 건조
③ 진공포장　　　　　　④ 여과

[해설] 거름종이나 여과기를 써서 액체 속에 들어있는 침전물이나 입자를 걸러 내는 것으로 미생물의 증식을 억제하기는 어렵다.

16 저칼로리의 설탕 대체품으로 이용되면서 당뇨병 환자들을 위한 식품에 이용할 수 있는 성분은?

① 자일리톨　　　　　　② 젖당
③ 맥아당　　　　　　　④ 갈락토오스

[해설] 자일리톨은 자작나무나 떡갈나무 등의 수목에서 채취되는 성분을 원료로 하는 천연 감미료

17 채소류의 특성에 대한 설명으로 틀린 것은?

① 시금치에 많이 함유된 옥살산은 칼슘과 경합하여 불용성 물질을 만들기도 한다.
② 채소류에 많이 함유된 비타민 C는 홍당무에 함유된 ascorbate oxidase에 의해 산화된다.
③ 무에 함유된 diastase는 단백질의 가수분해를 촉진시키므로 고기류와 함께 먹는 것이 바람직하다.
④ 갓에 함유된 매운맛 성분은 sinigrin으로 종자는 겨자분으로 이용 되기도 한다.

[해설] 디아스타제는 녹말을 분해하는 효소다.

18 전분의 노화가 가장 잘 일어나는 수분함량은?

① 15% 이하　　　　　　② 20~30%
③ 30~60%　　　　　　④ 80% 이상

[해설] 전분 노화의 조건 : 온도(0~5℃), 수분(30~60%), pH(강산)

19 과채류를 블랜칭(blanching)하는 목적과 가장 거리가 먼 것은?

① 조직을 유연하게 한다.
② 박피를 용이하게 한다.
③ 산화효소를 불활성화시킨다.
④ 향미성분을 강화한다.

20 난황이나 대두로부터 분리한 레시틴이 식품가공에 가장 많이 이용 되는 용도는?

① 유화제　　　　　　　② 팽창제
③ 삼투제　　　　　　　④ 습윤제

[해설] 레시틴은 사탕, 비스킷, 빵, 초콜릿 등의 가공과정에서 유화제로 사용된다.

21 현미를 백미로 도정할 때 쌀겨층에 해당되지 않는 것은?

① 과피　　　　　　　　② 종피
③ 왕겨　　　　　　　　④ 호분층

[해설] – 왕겨 : 벼의 거칠고 단단한 겉껍질로서 먹을 수 없다.
　　　– 쌀겨 : 왕겨를 벗겨 내고 현미를 도정하면서 나오는 성분으로 미강이라 하며 과피, 종피, 호분층이 해당된다.

22 다음 중 수용성 비타민이 아닌 것은?

① 티아민　　　　　　　② 코발라민
③ 나이아신　　　　　　④ 토코페롤

[해설] ※ 토코페롤 – 지용성 비타민인 비타민 E의 유기화합물이다.
① 티아민 – 비타민 B_1
② 코발라민 – 비타민 B_{12}
③ 나이아신 – 비타민 B_3

23 사용이 허가된 발색제는?

① 폴리아크릴산나트륨　　② 알긴산프로필렌글리콜
③ 카르복시메틸스타치나트륨　④ 아질산나트륨

[해설] 사용허가 된 발색제에는 육류 및 발색제의 질산칼륨, 질산나트륨, 아질산 나트륨이 있다.

24 단백질의 변성 요인 중 그 효과가 가장 적은 것은?

① 가열　　　　　　　　② 산
③ 건조　　　　　　　　④ 산소

[해설] 단백질 변성 요인은 가열, 탈수, 동결, 거품내기, 산, 알칼리, 중금속, 유기 용제 등

25 50g의 달걀을 접시에 깨뜨려 놓았더니 난황 높이는 1.7cm, 난황 직경은 4cm이었다. 이 달걀의 난황계수는?

① 0.188　　　　　　　② 0.232
③ 0.336　　　　　　　④ 0.425

[해설] 난황계수는 난황의 높이/난황의 직경 = 1.7/4 = 0.425

26 오징어 훈제 공정에 포함되지 않는 방법은?

① 수세　　　　　　　　② 염지
③ 여과　　　　　　　　④ 훈연

[해설] 오징어 훈제 공정은 수세, 염지, 훈연이다.

27 다음 중 난황에 들어있으며 커스터드크림 제조 시 유화제 역할을 하는 성분은?

① 글로불린　　　　　　② 갈락토오스
③ 레시틴　　　　　　　④ 오브알부민

[해설] 레시틴은 난황에 들어있는 유화제 성분이다.

28 양질의 칼슘이 가장 많이 들어있는 식품끼리 짝지어진 것은?

① 곡류, 서류　　　　　② 닭고기, 쇠고기
③ 우유, 멸치　　　　　④ 달걀, 오리알

[해설] 칼슘의 대표적인 식품은 우유·유제품, 뼈째 먹는 생선이다.

29 발생형태를 기준으로 했을 때의 원가 분류는?

① 개별비, 공통비
② 재료비, 노무비, 경비
③ 직접비, 간접비
④ 고정비, 변동비

[해설] 원가 발생 형태에 따른 분류에는 재료비, 노무비, 경비가 있다. 원가 추적 가능성에 따른 분류에는 직접비와 간접비가 있다.

30 경영형태별로 단체급식을 분류할 때 직영 방식의 장점은?

① 인건비가 감소된다.
② 시설설비 투자액이 적다.
③ 영양관리와 위생관리가 철저하다.
④ 이윤의 추구가 극대화된다.

[해설] 직영방식의 장점은 분량관리, 위생관리, 식단 작성 등 체계적인 관리이다.

31 외식산업의 특성에 대한 설명으로 틀린 것은?

① 소자본의 시장참여가 용이하다.
② 유통과 제조업인 동시에 서비스 산업이다.
③ 방문 고객의 수요 예측이 용이하다.
④ 사회, 문화 환경의 변화가 소비자 기호를 변화시킨다.

[해설] 외식산업은 방문 고객의 수요예측이 쉽지 않다.

32 깨끗하지 못한 손과 음식물 섭취와 관계가 없는 기생충은?

① 회충
② 사상충
③ 광절열두조충
④ 요충

[해설] 사상충은 음식물 섭취와 관계가 없고 모기가 중간숙주인 기생충이다.

33 역성비누에 대한 설명으로 틀린 것은?

① 양이온 계면활성제이다.
② 살균제, 소독제 등으로 사용된다.
③ 자극성 및 독성이 없다.
④ 무미, 무해하나 침투력이 약하다.

[해설] 역성비누는 양이온 부분이 계면 활성 작용을 갖는 비누로, 세척력은 없으나 살균 작용·단백질 침전 작용이 커서 약용 비누로 쓰이며 무색, 무취하고 침투력이 강하다.

34 자연계에 버려지면 쉽게 분해되지 않으므로 식품 등에 오염되어 인체에 축적독성을 나타내는 원인과 거리가 먼 것은?

① 수은 오염
② 잔류성이 큰 유기염소제 농약 오염
③ 방사선 물질에 의한 오염
④ 콜레라와 같은 병원 미생물 오염

[해설] 콜레라는 오염수나 생존 가능한 음식물을 통해서 전염되는 질병이다.

35 병원성 미생물의 발육과 그 작용을 저지 또는 정지시켜 부패나 발효를 방지하는 조작은?

① 산화
② 멸균
③ 방부
④ 응고

[해설] – 방부 : 미생물의 증식을 억제하여 균의 발육을 저지시켜 부패나 발효를 방지하는 것
– 멸균 : 병원 미생물뿐만 아니라 균, 아포, 독소 등을 사멸시키는 것
– 소독 : 병원성 미생물을 죽이거나 병원성을 약화시키지만 아포는 죽이지 못함

36 다음 중 생균을 이용하여 인공능동면역이 되며, 면역획득에 있어서 영구면역성인 질병은?

① 세균성 이질
② 폐렴
③ 홍역
④ 임질

[해설] 인공능동면역은 예방접종 후 얻은 면역을 말하며 홍역, 수두, 장티푸스 등이 이에 해당한다.

37 세계보건기구(WHO)의 주요 기능이 아닌 것은?

① 국제적인 보건사업의 지휘 및 조정
② 회원국에 대한 기술지원 및 자료 공급
③ 세계식량계획 설립
④ 유행성 질병 및 감염병 대책 후원

[해설] 세계보건기구의 주요 기능은 지휘 및 조정, 기술 지원, 자료 공급, 공중보건 관련 행정 강화와 지원 등 간접적인 활동을 한다.

38 다음 식품첨가물 중 영양 강화제는?

① 비타민류, 아미노산류
② 검류, 락톤류
③ 에테르류, 에스테르류
④ 지방산류, 페놀류

[해설] 영양 강화제는 식품에 영양소를 강화할 목적으로 사용되는 첨가물로 비타민, 아미노산류 등의 무기염류가 강화제로 사용된다.

39 게, 가재, 새우 등의 껍질에 다량 함유된 키틴(Chitin)의 구성 성분은?

① 다당류
② 단백질
③ 지방질
④ 무기질

[해설] 키틴은 아미노당으로 이루어진 다당류이다.

40 다음 중 단당류인 것은?

① 포도당
② 유당
③ 맥아당
④ 전분

[해설] 단당류에는 포도당, 갈락토오스, 과당이 있다.

41 미숫가루를 만들 때 건열로 가열하면 전분이 열 분해되어 덱스트린이 만들어지는데, 이 열분해 과정을 무엇이라고 하는가?

① 호화
② 노화
③ 호정화
④ 전화

[해설] 호정화는 전분을 160℃ 이상의 건열로 가열하면 여러 단계의 가용성 전분을 거쳐 덱스트린으로 분해되는 과정이다.

42 에일(Ale)이란 음료는?

① 와인의 일종이다.
② 증류주의 일종이다.
③ 맥주의 일종이다.
④ 혼성주의 일종이다.

[해설] 영국식 맥주로 상면 발효 효모에 의하여 실온에 가까운 온도에서 발효된 것을 말한다.

43 인구 정지형으로 출생률과 사망률이 모두 낮은 인구형은?

① 별형
② 종형
③ 피라미드형
④ 항아리형

[해설] ※ 종형 - 가장 이상적인 인구형
① 별형 - 도시형
③ 피라미드형 - 후진국형
④ 항아리형 - 선진국형

44 지질의 주요 기능으로 옳지 않은 것은?

① 체내 삼투압 조절
② 체온의 손실 방지
③ 티아민 절약 작용
④ 세포막의 구성성분

[해설] 체내 삼투압 조절은 단백질과 무기질이 관여한다.

45 생선류에 사용하지 않는 염장법은?

① 마른간법
② 물간법
③ 염수주사법
④ 압착염장법

[해설] 염수주사법은 축육 또는 대형 어육에 주사 후 일반 염장법으로 염지하는
방법이다. 햄이나 베이컨에 이용한다.

46 일반 음식점의 모범업소를 지정할 수 있는 사람은?

① 경찰서장
② 세무서장
③ 보건소장
④ 구청장

[해설] - 모범업소 지정 : 특별자치도지사, 시장, 군수, 구청장
- 우수업소 지정 : 식품의약품안전처장, 특별자치도지사, 시장, 군수, 구청장

47 다음 중 샐러드, 수프와 잘 어울리는 파스타는 어떤 것인가?

① 가는 파스타
② 넓은 파스타
③ 짧고 작은 파스타
④ 중간 굵기의 파스타

48 수프를 제공함에 있어서 가니쉬형이 아닌 것은?

① 파스타
② 버섯
③ 블렌칭한 채소
④ 거품 크림

[해설] 거품 크림, 크루통, 차이브 등은 토핑형이다.

49 수프를 구성하는 요소가 아닌 것은?

① 스톡(Stock)
② 루(Roux)
③ 향신료
④ 올리브오일

[해설] 수프 구성요소 : 스톡(Stock), 루(Roux), 가니쉬(Garnish), 향신료

50 다음 중 향신료에 대한 설명으로 맞지 않는 것은?

① 라틴어의 '약품'이라는 의미에서 유래되었다.
② 100% 식물의 꽃, 열매, 씨앗, 뿌리, 껍질로 이루어진다.
③ 고추, 마늘, 참깨, 생강은 향신료로 보기 어렵다.
④ 향신료는 열대, 아열대 기후에서 잘 자란다.

51 재료를 얇게 써는 방법으로 바토네, 쥘리엔 등을 써는 초기 작업에
쓰이기도 하는 것은?

① 브뤼누아즈(Brunoise)
② 찹(Chop)
③ 슬라이스(Slice)
④ 콩카세(Concasse)

[해설] 슬라이스(Slice) : 기본적으로 재료를 얇게 썬 것을 뜻한다.

52 전채요리의 재료에서 생선류로 만든 것이 아닌 것은?

① 튜나 타르타르
② 살몬 세비체
③ 쉬림프 칵테일
④ 트러플 머쉬룸

53 식용유와 식초, 소금을 넣고 빠르게 저어 일시적인 유화 상태를
만드는 드레싱은?

① 마요네즈 소스
② 비네그레트 소스
③ 홀랜다이즈 소스
④ 사워크림 소스

[해설] 비네그레트 소스는 유화 소스의 하나로 식초나 레몬즙과 오일을 섞은 불
안정한 혼합물이다. 레드와인 비네그레트, 발사믹 비네그레트 등이 있다.

54 식이섬유가 풍부한 귀리를 볶은 후 납작하게 눌러 우유 또는 육수를
넣고 조리해서 먹는 음식은?

① 콘플레이크(Corn Flakes)
② 라이스크리스피(Rice krispy)
③ 오트밀(Oatmeal)
④ 그래놀라(Granola)

[해설] ① 콘플레이크(Corn Flakes) - 옥수수를 눌러 바삭바삭하게 말린 것으로
시리얼(Cereal) 종류
② 라이스크리스피(Rice krispy) - 쌀을 익혀서 건조한 후 바삭하게 튀긴
시리얼
④ 그래놀라(Granola) - 곡류, 말린 과일, 견과류 등을 설탕, 꿀, 오일과
함께 오븐에 구워낸 시리얼

55 다음의 치즈 중 연질 치즈가 아닌 것은?

① 마스카포네 치즈
② 브리 치즈
③ 까망베르 치즈
④ 파르미지아노 레지아노

[해설] 파르미지아노 레지아노는 경질 치즈다.

56 이탈리아의 대표적인 채소 수프는?

① 미네스트로네
② 똠양꿍
③ 샥스핀
④ 부이야베스

[해설] ② 똠양꿍 - 태국
③ 샥스핀 - 중국
④ 부이야베스 - 프랑스

57 다음 중 우유를 이용한 커피는?

① 아메리카노
② 에스프레소
③ 프라푸치노
④ 카페라떼

[해설] 라테는 이탈리아어로 '우유'를 뜻하는데 따뜻하게 데운 우유와 에스프레소의
비율을 4:1 정도로 섞어 마신다.

58 다음 조리법 중 기름에 튀겨 내는 조리법은?

① Grilling
② Roasting
③ Steaming
④ Deep Frying

정답 43. ② 44. ① 45. ③ 46. ④ 47. ③ 48. ④ 49. ④ 50. ③ 51. ③ 52. ④ 53. ② 54. ③ 55. ④ 56. ① 57. ④ 58. ④

[해설] ① Grilling – 가열된 금속 표면에 굽는 방법
② Roasting – 육류 또는 가금류 등을 통째로 오븐에서 굽는 방법
③ Steaming – 찜통에서 음식을 쪄내는 요리 방법

59 크림 파스타를 만들 때 토마토 소스를 넣게 되면 응고 현상이 일어난다. 이유는?

① 염에 의한 응고 ② 효소적 응고 현상
③ 산에 의한 응고 ④ 당화 현상

[해설] 토마토의 유기산이 우유의 카세인 단백질을 응고시키게 된다.

60 서양식 조식에 흔하게 사용되는 식재료가 아닌 것은?

① 크로와상 ② 달걀
③ 주스 ④ 훈제오리

[해설] 서양 조식 재료는 빵, 시리얼, 우유, 주스, 달걀 등을 사용한다.

01 BOD가 높아지는 것과 가장 관계가 깊은 것은?

① 식품공장의 세척수
② 매연에 의한 공기오염
③ 플라스틱 재생공장의 배기수
④ 철강공장의 냉각수

[해설] 호기성 미생물이 일정 기간 동안 물속에 있는 유기물을 분해할 때 사용하는 산소의 양을 말하는 것으로 물의 오염된 정도를 표시하는 지표로 사용된다.

02 위생관리의 목적이 아닌 것은?

① 쓰레기와 폐기물의 안전한 처리
② 음식물의 위생적 처리
③ 식품첨가물과 기구 및 포장의 제조와 가공에 관한 위생 관련 업무
④ 의약품의 올바른 섭취정보

[해설] 의약품은 위생관리의 목적에 해당되지 않는다.

03 공중보건에서 감염병 관리가 가장 어려운 것은?

① 환자   ② 토양
③ 건강보균자   ④ 회복기 환자

[해설] 건강보균자의 경우 병원체에 감염되어 있지만 임상증상이 없으므로 감염 사실을 알기 어렵다.

04 식품위생법상 조리사 면허를 받지 못하는 사람은?

① 향정신성 의약품 중독자
② 미성년자
③ 비활동성 B형간염
④ 조리사 면허취소처분을 1년 6개월 전에 받은 자

[해설] 조리사 결격사유는 정신질환자, 감염병 환자, 마약중독자, 조리사 면허처분날부터 1년이 지나지 않은 자

05 비브리오 패혈증의 예방대책에 대한 설명으로 잘못된 것은?

① 간장 질환자 및 상처가 난 사람은 해수욕을 가급적 삼간다.
② 어패류는 수돗물로 충분히 씻는다.
③ 강물이 유입되는 어획 장소는 균의 증감을 감시한다.
④ 생선회를 냉장고에 일정 시간 보관하였다가 먹는다.

[해설] 비브리오 패혈증은 어패류를 날 것이나 덜 익힌 채로 먹었을 때 어패류·바닷물·갯벌에 있는 비브리오 불니피쿠스균이 피부 상처에 접촉되었을 때 감염된다.

06 병원성 미생물의 크기가 큰 순서로 나열한 것은?

① 효모 〉 스피로헤타 〉 세균 〉 곰팡이
② 세균 〉 리케차 〉 바이러스 〉 스피로헤타
③ 곰팡이 〉 스피로헤타 〉 리케차 〉 바이러스
④ 바이러스 〉 리케차 〉 세균 〉 스피로헤타

[해설] ※ 미생물의 크기
곰팡이 〉 효모 〉 스피로헤타 〉 세균 〉 리케차 〉 바이러스

07 육류에서 감염되는 기생충은?

① 무구촌충, 선모충   ② 회충, 십이지장충
③ 폐흡충, 유구촌충   ④ 고래회충, 요충

[해설] ※ 육류에서 감염되는 기생충에는 무구촌충, 유구촌충, 선모충, 만손열두조충
※ 회충, 십이지장충, 요충은 채소에서 감염되며 폐흡충, 고래회충은 어류에서 감염된다.

08 살균 · 소독을 하는데 있어서 소독약의 살균력을 나타내는 기준이 되는 것은?

① 포름알데히드   ② 역성비누
③ 석탄산   ④ 생석회

[해설] 석탄산 계수는 소독약의 살균력을 나타내는 기준이며 살균력이 안전하고 유기물에도 소독력이 약화되지 않음

09 식재료의 위생관리 방법으로 올바르지 않은 것은?

① 유통기간, 보존 상태 확인 후 구입한다.
② 식재료는 주방 바닥에 내려놓지 않는다.
③ 통조림의 경우 찌그러짐이나 팽창 확인은 반드시 한다.
④ 조리 시 남은 채소류의 경우 랩 포장하여 냉장보관한다.

[해설] 조리 시 남은 채소류의 경우 매일 폐기를 원칙으로 한다.

10 식품첨가물의 사용 목적이 아닌 것은?

① 기생충 감염예방   ② 식품의 부패와 변질을 방지
③ 식품의 기호 및 관능 만족 ④ 식품의 품질유지와 개량

[해설] 식품첨가물의 사용 목적은 식품의 부패와 변질을 방지, 식품의 기호 및 관능 만족, 식품의 품질유지와 개량, 식품의 영양을 강화

11 포도상구균에 대한 설명으로 맞는 것은?

① 화농성질환자에 의해 오염된 식품에 의해 중독을 일으킨다.
② 12~36시간으로 잠복기가 가장 길다.
③ 원인독소는 뉴로톡신(Neurotoxin)이다.
④ 살균이 덜 된 통조림, 햄, 소지지 가공품이 원인이다.

[해설] 포도상구균은 화농성질환자에 의해 오염된 식품에 의해 중독을 일으키며 원인독소는 엔테로톡신(Enterotoxin)으로 잠복기가 평균3시간으로 가장 짧다.

12 다음 중 식중독의 원인과 독소를 잘못 연결한 것은?

① 감자 – 솔라닌   ② 독버섯 – 무스카린
③ 목화씨 – 리신   ④ 복어 – 테트로도톡신

[해설] 목화씨의 원인 독소는 고시폴(Gossypol)이다.

13 다음 중 식품위생법에서 식품위생의 대상이 올바른 것은?

① 식품, 식품첨가물, 기구, 포장용기
② 식품, 의약품, 기구, 화학적 합성품
③ 화학적 합성품, 조리인, 기구, 의약품
④ 의약품, 단체급식, 식품, 식품첨가물

[해설] 식품위생법에서 식품위생의 대상은 식품, 식품첨가물, 기구, 포장용기 등의 음식에 대한 전반적인 것이다.

[해설] 다당류 – 단당류가 2개 이상 결합된 당, 전분, 글리코겐, 섬유소, 펙틴, 이눌린, 만난, 알긴산, 리그닌

14 물의 소독 중 물리적 소독 방법이 아닌 것은?

① 열 처리법
② 표백분
③ 오존(O₃)
④ 자외선

[해설] 화학적 소독 : 수도 – 염소, 우물 – 표백분

15 주방 내 안전사고 유형 중 인적 안전사고 원인이 아닌 것은?

① 시력이나 청력의 결함
② 협소한 통로
③ 지식 · 기능 부족
④ 과격함, 신경질

[해설] 환경적 요인에 의한 안전사고 : 건축물의 부적절한 설계, 통로의 협소, 채광, 조명, 환기 시설의 문제, 고열, 먼지, 소음, 진동, 가스 누출, 누전 등

16 작업장 개선의 목표가 아닌 것은?

① 경제성
② 신속성
③ 정확성
④ 전문성

[해설] 작업장 작업 개선의 목표는 경제적일 것, 정확할 것, 신속할 것, 용이할 것이다.

17 안전사고 발생 시 응급조치로 맞지 않는 것은?

① 구조자의 안전보다는 동료의 구조가 중요하다.
② 현장의 안전 상태와 위험요소를 파악한다.
③ 현장의 응급상황을 전문 의료기관(119)에 알린다.
④ 응급환자를 처치할 때 원칙적으로 의약품을 사용하지 않는다.

[해설] 구조자 자신의 안전 여부를 확인 후 주변 사람을 돕도록 한다.

18 식용유의 품질 조건이 아닌 것은?

① 거품이 일지 않을 것
② 열에 대하여 안전할 것
③ 튀길 때 발생하는 연기가 적을 것
④ 가열에 의한 점도 변화가 클 것

[해설] 산패된 식용유는 불쾌한 냄새, 진한 색상, 점도 증가로 끈적임, 거품이 많고 낮은 온도에서도 연기가 난다.

19 채소를 가공할 때 전처리로 데치기를 하는 목적이 아닌 것은?

① 효소의 불활성화
② 오염 미생물의 살균
③ 풋 냄새의 제거
④ 향의 보존

20 식품재료의 구성성분 중 특수성분인 것은?

① 수분
② 탄수화물
③ 효소
④ 칼슘

[해설] 특수성분 : 색, 향, 맛, 효소

21 다당류에 속하는 탄수화물은?

① 포도당
② 섬유질
③ 과당
④ 갈락토오스

22 단맛이 가장 약한 당은?

① 맥아당
② 포도당
③ 설탕
④ 젖당

[해설] 과당(170) 〉 전화당(85~130) 〉 설탕(100) 〉 포도당(74) 〉 맥아당(60) 〉 갈락토오스(33) 〉 젖당(16)

23 단백가가 가장 높은 식품은?

① 달걀
② 소고기
③ 돼지고기
④ 우유

[해설] 단백질의 영양가를 필수아미노산 조성으로부터 판정하고자 하는 수치로 달걀을 100, 소고기 80, 돼지고기 85, 우유 80

24 불완전 단백질은?

① 알부민
② 오리자닌
③ 카세인
④ 제인

[해설] 필수아미노산이 결여되어 생명 유지와 성장이 어려운 단백질 : 옥수수 – 제인

25 불포화지방산인 식물성 유지를 가공할 때 산패 억제를 위해 수소를 첨가하는 과정에서 생기는 지방산은?

① 포화지방산
② 트랜스지방산
③ 불포화지방산
④ 필수지방산

26 지질의 기능적 성질이 아닌 것은?

① 유화
② 수소화
③ 생리작용의 촉매
④ 연화

[해설] 생리작용의 촉매 역할은 무기질의 특성이다.

27 비타민 A의 결핍증으로 나타나는 증상은?

① 야맹증
② 구루병
③ 혈액 응고 지연
④ 노화

[해설] – 비타민 D : 구루병
– 비타민 E : 노화
– 비타민 K : 혈액 응고 지연

28 조리 시 손실이 가징 큰 비타민은?

① 비타민 B₁
② 비타민 C
③ 비타민 B₂
④ 나이아신

[해설] 비타민 C는 수용성으로 불안정하다.

29 다음 중 맛의 대비는?

① 설탕과 꿀을 혼합하여 불고기 양념을 하였다.
② 커피에 설탕을 넣어 먹었다.
③ 한약을 마시고 물을 먹었다.
④ 팥죽에 설탕과 소금을 약간 넣었다.

[해설] 맛의 대비 : 서로 다른 맛을 혼합했을 때 주된 맛이 강하게 느껴진다.

30 효소적 갈변 현상을 일으키는 것은?

① 마이야르 반응   ② 캐러멜화
③ 티로시나아제   ④ 아스타잔틴

[해설] 효소적 갈변으로 티로신이 멜라닌으로 변하게 된다.

31 식품의 색소에 관한 설명 중 잘못된 것은?

① 클로로필은 열과 산에선 녹갈색, 알칼리에선 진녹색으로 바뀐다.
② 카로티노이드는 당근, 고구마, 토마토에 존재하며 프로비타민 A의 기능이 있다.
③ 플라보노이드는 자색의 수용성 색소로 가지에 존재한다.
④ 안토시아닌은 산성에서는 적색, 알칼리성에서는 청색으로 바뀐다.

[해설] 플라보노이드는 흰색·황색의 수용성 색소로 밀가루, 양파, 귤에 존재한다.

32 영양소와 소화 효소가 바르게 연결된 것은?

① 탄수화물 – 아밀라아제   ② 단백질 – 리파아제
③ 젖당 – 트립신   ④ 지방 – 펩신

[해설] 탄수화물의 아밀로오스는 효소 아밀라아제에 의해 분해된다.

33 시장조사의 원칙이 아닌 것은?

① 경제성   ② 기호성
③ 적시성   ④ 탄력성

[해설] 시장조사의 원칙은 경제성, 적시성, 탄력성, 계획성, 정확성이다.

34 매월 고정적으로 포함해야 하는 경비는?

① 지급운임비   ② 복리후생비
③ 특별수당   ④ 감가상각비

[해설] 고정비란 생산량에 관계없이 고정적으로 발생하는 비용으로 감가상각비가 해당된다.

35 물의 조리 원리가 아닌 것은?

① 삼투압   ② 팽윤
③ 복사   ④ 용출

[해설] 복사는 물체에 열이 직접 전달되는 것이다.

36 조리장의 설비로 옳지 않은 것은?

① 조리장 바닥과 내벽 30cm까지는 물청소가 가능한 자재를 사용할 것
② 객실과 객석의 구분이 명확할 것
③ 미끄럽지 않고 산, 염, 유기용액에 강할 것
④ 내구력이 충분할 것

[해설] 조리장 바닥과 내벽 1m까지는 물청소가 가능한 자재를 사용할 것

37 미숫가루와 누룽지는 전분의 어떤 성질을 이용한 원리인가?

① 전분의 호화(α화)   ② 전분의 노화(β)
③ 전분의 당화   ④ 전분의 호정화

[해설] 전분을 수분 없이 160℃ 이상으로 가열하게 되면 가용성 전분을 거쳐 덱스트린으로 분해된다. 이 과정에서 구수한 맛과 갈색으로 색이 변하게 된다.

38 다음 중 밀가루로 국수 반죽을 할 때 쫄깃한 면발을 만들기 위해 넣은 첨가제는?

① 지방   ② 소금
③ 설탕   ④ 이스트

[해설] 소금은 맛을 향상시키고 글루텐의 구조를 단단하게 만든다.

39 육류의 연화법 중 단백질 분해효소를 사용하여 육질을 연화시키려 한다. 잘못 연결된 것은?

① 파파야 – 파파인   ② 파인애플 – 브로멜린
③ 무화과 – 액티니딘   ④ 배 – 프로테아제

[해설] 무화과 – 피신, 키위 – 액티니딘

40 어취의 제거 방법으로 잘못된 것은?

① 생선 비린내의 주성분인 트릴메틸아민은 소금물에 잠시 담가둔다.
② 식초나 레몬즙을 첨가하면 비린내가 감소된다.
③ 마늘, 파, 양파, 생강, 겨자 등의 향신료는 비린향을 제거한다.
④ 알코올은 휘발성 어취를 제거하고 맛을 향상시킨다.

[해설] 소금물에 담글 경우 호염성 장염비브리오균이 번식할 수 있다.

41 달걀의 품질등급 판정을 옳게 표현한 것은?

① 기실은 달걀류의 품질과 관련이 없다.
② 농후난백이 난황을 상당 부분 감싸고 있는 것이 신선하다.
③ 난각의 조직은 외관 판정에서 제외된다.
④ 알끈은 식감이 좋지 않으므로 부드럽게 풀어진 것으로 고른다.

[해설] 달걀의 등급판정은 외관(난각), 기실, 난황, 난백 등으로 이루어진다.

42 한천에 대한 설명으로 맞지 않는 것은?

① 우뭇가사리 등을 삶은 액을 냉각, 동결, 건조시킨 것으로 주성분은 갈락탄이다.
② 젤리, 족편, 마시멜로, 아이스크림, 푸딩 제조에 사용된다.
③ 용해온도는 80~100℃, 응고온도는 38~40℃
④ 설탕량이 많아지면 젤의 강도가 높아져 점성과 탄성이 증가한다.

[해설] 젤리, 족편, 마시멜로, 아이스크림, 푸딩 제조에는 젤라틴이 이용된다.

43 우유와 같은 액상 식품을 미세한 입자로 분무하여 열풍과 접촉시켜 순간적으로 건조시키는 방법은?

① 천일건조   ② 복사건조
③ 냉풍건조   ④ 분무건조

[해설] 식품 등 재료의 액체를 열풍 속에 분무시켜 1mm 이하의 미세한 물방울 상태로 기류에 동반시키면서 건조시키는 방법

44 마요네즈 제조 시 유화제 역할을 하는 것은?

① 식초   ② 면실유
③ 소금   ④ 레시틴

정답   30. ③   31. ③   32. ①   33. ②   34. ④   35. ③   36. ①   37. ④   38. ②   39. ③   40. ①   41. ②   42. ②   43. ④   44. ④

[해설] 달걀, 대두 등에 존재하는 인지질로 레시틴은 요리와 식품제조 산업에서 유화제로 사용된다.

45 쌀의 도정도가 높을수록 상대적으로 증가하는 것은?

① 섬유질　　　　　　　② 단백질
③ 소화율　　　　　　　④ 비타민류

46 다음 중 겔 상태의 식품이 아닌 것은?

① 된장국　　　　　　　② 묵
③ 젤리　　　　　　　　④ 양갱

47 잼의 가공 시 필요한 성분이 아닌 것은?

① 펙틴　　　　　　　　② 당
③ 유기산　　　　　　　④ 단백질

[해설] 잼이 만들어지기 위해서는 펙틴, 산, 당의 세 조건이 있어야 한다.

48 맛을 내는 대표적인 성분의 연결이 틀린 것은?

① 감칠맛 – 퀴닌　　　② 청량감 – 멘톨
③ 떫은 맛 – 탄닌　　　④ 후추의 매운맛 – 피페린

[해설] 퀴닌 – 안데스산맥의 고산 지대에서 주로 자라는 키나 나무껍질에서 추출된 천연물로 1500년대 이후로 말라리아 치료제로 사용되고 있다.

49 제빵공정에서 처음에 밀가루를 체로 치는 가장 큰 이유는?

① 밀가루를 곱게 만들기 위하여
② 해충을 제거하기 위하여
③ 산소를 풍부하게 함유시키기 위하여
④ 가스를 제거하기 위하여

[해설] 공기 혼입시켜 이스트의 활성을 촉진시키기 위함이다.

50 글루텐에 영향을 주는 물질을 설명한 것 중 맞지 않는 것은?

① 지방 – 글루텐 형성을 방해하여 부드럽고 바삭한 질감의 연화 작용
② 설탕 – 고온에서 캐러멜화로 갈색반응이 일어나고 연화작용을 한다.
③ 소금 – 맛을 향상시키고 글루텐의 구조를 단단하게 만든다.
④ 달걀 – 글루텐 구조를 부드럽게 하며 색과 풍미를 준다.

[해설] 달걀 – 글루텐 구조를 형성하고 색과 풍미를 준다.

51 채소를 실처럼 얇게 썬 형태로 가니쉬(Garnish)에 많이 사용하는 것은?

① 큐브(Cube)　　　　② 쥘리엔(Julienne)
③ 시포나드(Chiffonnade)　　④ 찹(Chop)

[해설] ① 큐브(Cube) – 정육면체로 식재료를 써는 방법 중 가장 기본 썰기, 사방 2cm의 크기
② 쥘리엔(Julienne) – 재료를 얇게 자른 뒤 길게 써는 형태를 말하며, 0.3cm 정도의 두께로 써는 것
④ 찹(Chop) – 식재료를 잘게 칼로 다지는 것

52 유럽식 아침 식사(Continental breakfast)에 해당하지 않는 것은?

① 주스류, 빵　　　　② 주스, 베이컨, 소시지
③ 빵, 커피　　　　　④ 빵, 밀크티

[해설] 유럽식 아침 식사 – 각종 주스류와 조식용 빵, 커피, 홍차로 구성된 간단한 식사

53 달걀의 양쪽 면을 살짝 익힌 것으로 달걀의 흰자는 익고 노른자는 익지 않은 것은?

① 오버 이지(Over easy egg)
② 오버 미디엄(Over medium egg)
③ 오버 하드(Over hard egg)
④ 오믈렛(Omelet)

54 밀가루, 이스트, 물, 소금만으로 만든 프랑스의 대표적인 빵으로 가늘고 긴 막대기 모양이 특징인 것은?

① 베이글　　　　　　② 머핀
③ 바게트　　　　　　④ 크루아상

[해설] ① 베이글 – 가운데 구멍이 뚫린 링 모양으로 만들어 발효시킨 후 끓는 물에 익혀 오븐에 구워 낸다.
② 잉글리시머핀 – 샌드위치용으로도 많이 사용하는 영국의 대표적인 빵이다.
④ 크루아상 – 페이스트리 반죽을 초승달 모양으로 만든 프랑스의 대표적인 빵이다.

55 프랑스 정찬 중 프로마주(Formage)는 무엇을 뜻하는가?

① 애피타이저　　　　② 샐러드
③ 과일　　　　　　　④ 치즈

[해설] 프로마주(Formage)는 치즈가 나오는 코스를 말한다.

56 스톡 조리 시 뼈(bone)는 향과 색을 부여하는 중요한 재료다. 가장 많이 사용되는 것은?

① 소　　　　　　　　② 닭
③ 돼지　　　　　　　④ 염소

[해설] 서양식 스톡에는 소뼈가 많이 사용된다.

57 양송이 크림 수프를 만들 때 필요한 루(Roux)는?

① 블랙 루(Black Roux)
② 브라운 루(Brown Roux)
③ 브론드 루(Brond Roux)
④ 화이트 루(White Roux)

58 멕시코의 토속주를 무엇이라고 부르고 있는가?

① Old Tom　　　　　② Tequila
③ Kummel　　　　　④ Vodka

[해설] ※ Tequila는 멕시코 고유의 술로 용설란(Agave)의 수액을 채취해 증류한 것이다.
① Old Tom – 설탕 또는 글리세린을 넣은 진
③ Kummel – 큐멜은 독일의 달고 색이 없는 음료로 캐러웨이 씨, 쿠민, 회향으로 맛을 낸 것이다.
④ Vodka – 밀, 보리, 호밀을 주원료로 한 무색, 무취, 무미의 고알코올 증류주이다.

59 달걀을 이용하여 만든 소스가 아닌 것은?

① 앙글레이즈　　　　② 홀렌다이즈
③ 마요네즈　　　　　④ 뵈르 마니에

[해설] ※ 뵈르 마니에(Beurre Manie)는 버터와 밀가루를 1:1의 비율로 섞어서 만든 것
① 앙글레이즈 – 계란과 물, 샐러드 오일, 소금, 후추를 혼합한 것
② 홀렌다이즈 – 버터와 레몬 과즙을 노른자를 사용하여 유화하고 소금과 소량의 후추로 양념한 것

60 다음의 이름들은 어떤 음식을 말하는 것인가?

> "가스파초, 어니언그라탕, 미네스트로네, 부야베스,
> 헝가리안 굴라쉬, 보르시치, 커리"

① 파스타　　　　　　② 수프
③ 스튜　　　　　　　④ 소스

[해설] 나라별 대표적인 수프 종류다.

01 조리위생에서 옳지 않은 것은?

① 조리 시 음식의 내부온도는 85℃에서 3분 이상 충분히 가열한다.
② 조리된 음식은 맨손이 아닌 위생장갑을 착용하고 작업한다.
③ 식중독 발생 시 원인 규명을 위해 보존식은 144시간 냉동보관한다.
④ 배식 시간을 아끼기 위해 새로 조리한 음식과 미리 완성된 음식은 함께 모아 배식한다.

[해설] 미리 조리된 음식과 새로 조리한 음식은 섞지 않는다.

02 역성비누에 대한 설명으로 옳지 않은 것은?

① 양이온 계면활성제이다.
② 자극성과 독성이 없고 침투력이 강하다.
③ 과일, 채소, 식기 소독에 사용할 수 있다.
④ 일반 비누와 동시에 사용하면 살균효과가 좋아진다.

[해설] 일반 비누와 동시에 사용하면 살균효과가 감소한다.

03 식품위생과 관련된 미생물이 아닌 것은?

① 세균　　　　　　　　② 곰팡이
③ 효모　　　　　　　　④ 기생충

[해설] 기생충은 미생물이 아닌 위생해충에 속한다.

04 미생물에 의한 식품의 변질의 유형 중에서 인간에게 해롭지 않은 것은?

① 부패　　　　　　　　② 변패
③ 발효　　　　　　　　④ 산패

[해설] 탄수화물이 미생물의 분해 작용으로 알코올과 유기산을 생성하여 유용한 물질을 만들어 내는 현상

05 식품첨가물의 종류 중 보존료에 속하지 않는 것은?

① 차아염소산나트륨　　② 데히드로초산
③ 소르빈산　　　　　　④ 안식향산 나트륨

[해설] 차아염소산나트륨 : 과일과 채소 살균 목적

06 세균에 대한 설명으로 옳은 것은?

① 발육을 위해 수분은 17%이상 필요하다.
② pH 6.5~7.5의 중성에서 잘 발육한다.
③ 어떠한 온도에서도 생육이 가능하다.
④ 곰팡이보다 번식속도가 느리다.

[해설] - 발육을 위한 수분은 50% 이상 필요하다.
　　　- 0℃ 이하 또는 70℃ 이상에서는 생육이 불가능하다.
　　　- 곰팡이보다 번식속도가 빠르다.

07 노로바이러스에 대한 설명으로 잘못된 것은?

① 감염경로는 경구감염 또는 비말감염이다.
② 발병 후 자연치유는 가능하지 않다.
③ 구토, 복통, 설사 등의 증상이 있다.
④ 예방대책은 식품을 충분히 가열 섭취하는 것이다.

[해설] 노로바이러스는 발병 후 1~2일 경과 후 자연치유된다.

08 화학물질에 의한 식중독으로 미나마타병을 일으킨 중금속은?

① 카드뮴(Cd)　　　　　② 납(Pb)
③ 수은(Hg)　　　　　　④ 비소(As)

[해설] 수은(Hg) 중독의 증상은 구토, 경련을 일으키는 미나마타병이다.

09 식중독 발생 시 즉시 취해야 할 행정적 조치인 것은?

① 식중독 발생 신고　　② 역학조사
③ 원인 식품 폐기　　　④ 방역소독

[해설] 식중독 발생 신고를 가장 먼저 해야 한다.

10 자외선에 대한 설명으로 맞지 않는 것은?

① 망막을 자극하여 색채와 명암을 구분할 수 있게 한다.
② 태양광선 중 파장이 가장 짧다.
③ 비타민 D의 형성으로 구루병 예방, 관절염 치료에 효과가 있다.
④ 신진대사를 촉진시키고 적혈구를 생성한다.

[해설] 망막을 자극하여 색채와 명암을 구분할 수 있게 하는 것은 가시광선이다.

11 인수공통감염병에 해당되며 사람은 열병을 일으키고 동물은 유산을 하게 되는 질환은?

① 결핵　　　　　　　　② 탄저
③ 파상열　　　　　　　④ 큐열

[해설] 파상열은 브루셀라병이라 하여 가축은 유산과 불임증, 사람은 피로, 권태감, 열병을 일으키게 된다.

12 소화기 보관법이 잘못된 것은?

① 소화기는 사람이 많이 있는 곳에서는 위험하므로 창고에 안전하게 보관한다.
② 직사광선, 온도가 높은 곳은 피한다.
③ 습기가 많은 곳은 피한다.
④ 소화기 내부의 약제가 굳어지지 않게 한 달에 한 번 정도 뒤집어서 흔들어 준다.

[해설] 소화기는 눈에 잘 띄는 곳에 보관한다.

13 정수과정의 응집에 대한 효과와 거리가 먼 것은?

① 세균수 감소　　　　② 이미 제거
③ 공기 공급　　　　　④ 침전 잔유물 제거

[해설] 정수과정의 응집은 침전에 관여되는 것으로 공기 공급과는 관련이 없다.

정답　01. ④　02. ④　03. ④　04. ③　05. ①　06. ②　07. ②　08. ③　09. ①　10. ①　11. ③　12. ①　13. ③

14 영양소에 대한 설명 중 틀린 것은?

① 영양소는 식품의 성분으로 생명 현상과 건강을 유지하는 데 필요한 요소이다.
② 건강이라 함은 신체적, 정신적, 사회적으로 건전한 상태를 말한다.
③ 물은 체조직 구성요소로서 보통 성인체중의 2/3를 차지하고 있다.
④ 조절소란 열량을 내는 무기질과 비타민을 말한다.

[해설] 조절소란 생리적 작용을 조절하는 영양소로서 무기질, 비타민, 물이 여기에 해당된다.

15 재해 발생 상황을 파악할 때 사용하는 표준 지표는?

① 도수율　　　　　　　② 건수율
③ 강도율　　　　　　　④ 사망률

[해설] ※ 산업 재해의 지표의 하나로 노동 시간에 대한 재해의 발생 빈도를 나타내는 것
① 건수율 – 산업재해의 지표의 하나로 노동자 수에 대한 재해 발생의 빈도를 나타내는 것
③ 강도율 – 재해발생률을 표시하는 방법 중 하나로, 재해규모의 정도를 표시한다.
④ 사망률 – 인구 10만명당 사망자수

16 정수시설의 침전지에서 약품침전의 목적으로 사용하는 것은?

① 명반　　　　　　　　② 붕산
③ 염소　　　　　　　　④ 철염

[해설] 정수장에서 많이 쓰이는 응집제는 명반(Alum,황산알루미늄)이며, 폐수처리장에서는 철염을 많이 이용한다.

17 기구 및 용기 포장의 기준 및 규격으로 틀린 것은?

① 기구 및 용기포장은 물리적 또는 화학적으로 내용물이 오염되기 쉬운 구조이어서는 아니 된다.
② 전류를 직접 식품에 통하게 하는 장치를 가진 기구의 전극은 철, 알루미늄, 백금, 티타늄 및 스테인리스 이외의 금속을 사용하여서는 아니 된다.
③ 식품과 접촉하는 면에 인쇄할 때에는 인쇄 후 잔류 톨루엔의 함량이 5mg/㎡ 이하이어야 한다.
④ 랩 제조 시에는 디에틸헥실아디페이트(DEHA)를 사용하여서는 아니 된다. 다만, 용출되어 식품에 혼입될 우려가 없는 경우는 제외한다.

[해설] 식품과 접촉하는 면에는 인쇄를 해서는 안 되며 직접 접촉하지 않는 면의 인쇄 후 잔류 톨루엔의 함량이 2mg/㎡ 이하이어야 한다.

18 다음 중 수용성인 산화 방지제는?

① Ascorbic acid
② Butylated hydroxyl anisole(BHA)
③ Butylated hydroxyl toluene(BHT)
④ Propyl gallate

[해설] ※ 아스코르브산(Ascorbic acid) – 수용성 비타민의 하나로 비타민 C라고도 한다.
② 뷰틸하이드록시아니솔(Butylated hydroxyl anisole) – 산화 방지제
③ 뷰틸레이트하이드록시톨루엔(Butylated hydroxyl toluene) – 식용유지, 버터, 어패건제품, 어패염장품, 어패냉동품에 사용되는 산화 방지제
④ 갈산프로필(Propyl gallate) – 식용유지, 식용우지, 식용돈지 및 버터류에 사용되는 산화 방지제

19 식품의 "1회 섭취참고량"은 몇 세 이상으로 설정한 값인가?

① 만 3세 이상　　　　　② 만 5세 이상
③ 만 13세 이상　　　　④ 만 18세 이상

[해설] 1회 섭취참고량은 만 3세 이상 소비계층이 통상적으로 소비하는 식품별 1회 섭취량과 시장조사결과 등을 바탕으로 설정한 값이다.

20 마요네즈 제조 시 사용되는 달걀의 가장 중요한 물리 화학적 원리는?

① 기포성　　　　　　　② 유화성
③ 포립성　　　　　　　④ 응고성

21 외부의 힘에 의하여 변형된 물체가 그 힘을 제거하여도 원상태로 되돌아가지 않는 성질은?

① 점조성　　　　　　　② 탄성
③ 소성　　　　　　　　④ 점탄성

[해설] ※ 소성 – 물체에 힘을 가해 변형시킬 때 영구적으로 변화하는 성질
① 점조성 – 끈기가 있고 밀도가 조밀한 성질
② 탄성 – 원상태로 돌아오려는 성질
④ 점탄성 – 물체에 힘을 가했을 때 액체로서의 성질과 고체로서의 성질이 동시에 나타나는 현상

22 식품의 수분활성도(Aw)에 대한 설명으로 틀린 것은?

① 식품이 나타내는 수증기압과 순수한 물의 수증기압의 비를 말한다.
② 일반적인 식품의 Aw 값은 1보다 크다.
③ Aw의 갑이 작을수록 미생물의 이용이 쉽지 않다.
④ 육류의 Aw의 0.97 정도이다.

[해설] 일반적인 식품의 수분활성도는 1보다 작다. 물의 수분활성도가 1.00이다.

23 다음 동물성 지방의 종류와 급원식품이 잘못 연결된 것은?

① 라드 – 돼지고기의 지방　　② 우지 – 소고기의 지방
③ 마가린 – 돼지고기의 지방　④ DHA – 생선유

[해설] 마가린은 액체 상태의 식물성 유지에 수소를 첨가하여 포화지방산의 형태로 고체화시킨 가공유지이다.

24 소화된 영양소는 주로 어디에서 흡수되는가?

① 위　　　　　　　　　② 소장
③ 대장　　　　　　　　④ 췌장

[해설] 모든 영양소의 대부분은 소장에서 흡수된다.

25 과일과 채소에 들어있는 카로틴이 체내에서 합성되면 피부의 상피 세포보호와 시력 기능을 좋게 할 수 있는 것은?

① 비타민 D　　　　　　② 비타민 C
③ 비타민 E　　　　　　④ 비타민 A

26 빵을 만들 때 팽창제로 사용 가능한 것은?

① 안식향산　　　　　　② 규소수지
③ 명반　　　　　　　　④ 초산비닐수지

[해설] ① 안식향산 – 방부제
② 규소수지 – 소포제
④ 초산비닐수지 – 피막제

27 다음 중 단당류에 해당하는 것은?

① 포도당
② 유당
③ 맥아당
④ 전분

[해설] 단당류에는 포도당, 과당, 갈락토오스가 있다. 유당, 맥아당은 이당류이며, 전분은 다당류이다.

28 우유 가공품이 아닌 것은?

① 치즈
② 버터
③ 마시멜로
④ 액상발효유

[해설] 마시멜로는 젤라틴, 설탕, 달걀흰자 등을 넣고 만든 사탕류의 과자이다.

29 단맛을 갖는 대표적인 식품과 가장 거리가 먼 것은?

① 사탕무
② 감초
③ 벌꿀
④ 카사바

[해설] 카사바는 타피오카 전분의 원료이다.

30 유지의 산패에 영향을 미치는 인자에 대한 설명으로 맞는 것은?

① 저장온도가 낮으면 산패가 방지된다.
② 광선은 산패를 촉진하나 그 중 자외선은 산패에 영향을 미치지 않는다.
③ 구리, 철은 산패를 촉진하나 납, 알루미늄은 산패에 영향을 미치지 않는다.
④ 유지의 불포화도가 높을수록 산패가 활발하게 일어난다.

[해설] 유지는 저장온도가 높을수록 산패 속도가 증가되며, 광선, 자외선, 금속류는 산패를 촉진시킨다.

31 다음 냄새 성분 중 어류와 관계가 먼 것은?

① 트리메틸아민
② 암모니아
③ 피페리딘
④ 부티르산

[해설] 부티르산은 버터의 포화지방산이다.

32 식혜를 당화시켜 끓일 때 설탕과 함께 소금을 조금 넣어 단맛이 강하게 느껴지는 현상은?

① 미맹현상
② 소실현상
③ 대비현상
④ 변조현상

[해설] 맛의 대비현상은 주된 맛 성분에 소량의 다른 맛 성분을 넣으면 주된 맛 성분이 강해지는 현상으로 설탕 용액에 약간의 소금을 첨가하면 단맛이 증가되는 것이 이에 해당한다.

33 과일 주스에 설탕을 섞은 농축 음료는?

① 소다수
② 시럽
③ 스쿼시
④ 젤리

[해설] 스쿼시 : 레몬·오렌지 등 과일을 과육과 함께 주스로 만들어 소다수를 넣고 희석하여 당분을 가미한 음료

34 쌀의 품질 감별 항목이 아닌 것은?

① 이물질 혼합 여부
② 건조 상태
③ 탄력 상태
④ 낱알의 형태

[해설] 쌀의 품질 감별 항목은 이물질 혼합 여부, 건조 상태, 낱알의 형태, 산지, 수확시기 등이다.

35 육류나 어류의 구수한 맛을 내는 성분은?

① 이노신산
② 호박산
③ 알리신
④ 주석산

[해설] 호박산은 조개류의 신맛 성분이다. 알리신은 마늘의 매운 특수성분이다. 주석산은 사과산과 함께 포도에 자연적으로 들어있는 산이다.

36 식품의 효소적 갈변에 대한 설명으로 맞는 것은?

① 간장, 된장 등의 제조과정에서 발생한다.
② 데치는 과정에 의해 반응이 억제된다.
③ 기질은 주로 아민류와 카르보닐 화합물이다.
④ 아스코르빈산의 산화반응에 의한 갈변이다.

[해설] 짧은 시간에 물이나 기름으로 재료를 데쳐 내게 되면 효소가 불활성화된다.

37 젤 형성을 이용한 식품과 젤 형성 주체성분의 연결이 바르게 된 것은?

① 양갱 – 펙틴
② 도토리묵 – 한천
③ 과일잼 – 전분
④ 족편 – 젤라틴

[해설] ① 양갱 – 한천
② 도토리묵 – 전분
③ 과일잼 – 펙틴

38 식품의 부패 과정에서 생성되는 불쾌한 냄새 물질과 거리가 먼 것은?

① 암모니아
② 포르말린
③ 황화수소
④ 인돌

[해설] 포르말린은 포름알데히드의 수용액으로 살균, 소독용으로 사용하고 부패 과정과 관계가 없다.

39 천연 산화 방지제가 아닌 것은?

① 안식향산
② 고시폴
③ 레시틴
④ 세사몰

[해설] 천연 산화 방지제는 토코페롤, 세사몰, 고시폴, 레시틴, 폴리페놀 화합물 등이 있다.

40 다음 급식시설 중 1인 1식 사용 급수량이 가장 많이 필요한 시설은?

① 학교급식
② 보통급식
③ 산업체급식
④ 병원급식

[해설] 병원급식은 10~20L로 급식시설 중 1인 1식 사용량으로 가장 많이 필요하다.

41 채소류 식재료의 감별법으로 옳지 않은 것은?

① 신선도
② 폐기율
③ 산패취
④ 잔류농약

[해설] 산패취는 곡류의 감별법이다.

42 김치 저장 중 김치조직의 연부현상이 일어나는 이유에 대한 설명으로 가장 거리가 먼 것은?

① 조직을 구성하고 있는 펙틴질이 분해되기 때문에

② 미생물이 펙틴 분해효소를 생성하기 때문에

③ 용기에 꼭 눌러 담지 않아 내부에 공기가 존재하여 호기성 미생물이 성장번식하기 때문에

④ 김치가 국물에 잠겨 수분을 흡수하기 때문에

[해설] 연부현상이란 무나 배추의 조직이 펙틴 분해효소에 의해 분해되어 김치가 물러지는 현상을 말한다.

43 단체급식에서 생길 수 있는 문제점과 거리가 먼 것은?

① 심리적으로 가정식에 대한 향수를 느낄 수 있다.

② 비용적 측면에서 물가상승 시 재료비가 충분하지 않을 수 있다.

③ 청결하지 않게 관리할 경우 식중독 같은 위생상의 위험이 있다.

④ 남은 반찬은 조리사들에게 나눠주도록 한다.

44 다음 중 고정비에 해당되는 것은?

① 노무비

② 연료비

③ 수도비

④ 광열비

[해설] 고정비는 일정한 기간 동안 조업도의 변동에 관계없이 항상 일정액으로 발생하는 원가로 감가상각비, 노무비, 보험료, 제세공과금 등이 포함된다.

45 올리브 열매를 처음 압착하여 추출한 최상급 품질의 오일은?

① 올리브오일 엑스트라버진

② 버진 올리브오일

③ 퓨어 올리브오일

④ 포마스 올리브오일

[해설] ② 버진 올리브오일 : 두 번째 압착한 것

③ 퓨어 올리브오일 : 버진 올리브오일과 정제시킨 올리브오일을 혼합, 튀김 등 가열 식품에 사용

④ 포마스 올리브오일 : 찌꺼기를 정제, 높은 산도의 낮은 등급 오일로 비누 등의 원료로 사용

46 콩디망(condiment)에 대한 설명으로 맞지 않는 것은?

① 요리에 사용되는 여러 양념을 섞은 것

② 콩디망은 단맛, 짠맛, 신맛, 쓴맛, 매운맛, 떫은맛, 감칠맛 등이 있다.

③ 음식을 만드는 방법 중 하나다.

④ 넓은 의미로 토마토케첩, 머스터드 등의 소스와 식용유나 술의 일부까지 포함된다.

[해설] 콩디망은 조미료 또는 향신료로 음식에 사용되는 재료로 이용된다.

47 건열, 습열 조리를 함께 사용하는 조리법으로 주로 결합조직이 많아 질긴 고기류를 조리할 때 이용되는 조리법은?

① 로스팅

② 브레이징

③ 스튜

④ 블랜칭

[해설] 브레이징 : 채소, 고기를 볶은 다음 물을 조금 넣고 천천히 익히는 것으로 우리나라의 찜과 비슷한 조리법이다.

48 칼로 재료를 잘게 다지듯이 써는 것은?

① 찹

② 다이스

③ 쥘리엔느

④ 크루통

[해설] ② 다이스 – 주사위 모양으로 써는 것

③ 쥘리엔느 – 막대 모양으로 써는 것

④ 크루통 – 오븐이나 프라이어에서 황갈색으로 구운 사각형의 작은 빵조각

49 다음 중 사용 용도가 다른 것은?

① 샐러맨더(Salamander)

② 샌드위치 메이커(Sandwich maker)

③ 스팀 케틀(Steam kettle)

④ 그릴(Grill)

[해설] 스팀 케틀(Steam kettle)은 대용량의 음식물을 끓이거나 삶는 데 사용한다.

50 피쉬 앤 칩스의 생선튀김 온도로 적당한 것은?

① 200℃ 7~8분

② 180℃ 3~4분

③ 160℃ 6~7분

④ 140℃ 8~9분

[해설] 튀김옷을 입힌 생선류의 경우 180℃ 정도에서 3~4분 정도가 적당하다.

51 스톡을 만들 때 물의 양은 어느 정도가 적당한가?

① 냄비의 중간 정도

② 재료 무게의 반 정도

③ 재료가 잠길 정도

④ 물의 양은 중요하지 않다.

[해설] 육수를 낼 때의 물의 양은 재료가 잠길 정도로 충분한 것이 좋다.

52 달걀의 특성을 이용한 음식의 연결이 맞지 않는 것은?

① 간섭성 – 콩소메

② 응고성 – 푸딩

③ 유화성 – 마요네즈

④ 기포성 – 쉬폰 케이크

[해설] 콩소메 수프를 맑게 하는 것은 청정제 역할이고 간섭성은 캔디를 만들 때 결정체 형성을 방해하는 것

53 일반적으로 부케가르니(Bouquet garni)에 들어가는 재료가 아닌 것은?

① 통후추

② 파슬리 줄기

③ 월계수잎

④ 생강

[해설] 일반적으로 부케가르니에는 파슬리, 월계수잎, 정향, 타임, 로즈메리 등의 향신료와 통후추, 셀러리 등의 향신 채소를 실로 묶거나 고정하여 사용한다.

54 샌드위치를 형태에 따라 분류했다. 분류 형태가 다른 것은?

① 오픈 샌드위치

② 콜드 샌드위치

③ 롤 샌드위치

④ 클럽 샌드위치

[해설] 콜드 샌드위치는 샌드위치의 온도에 따라 구분한 것이다.

55 다음 중 콜드 디저트가 아닌 것은?

① 무스(Mousse)

② 젤리(Jelly)

③ 그라탕(Gratin)

④ 과일 콤포트(Fruit comport)

[해설] 그라탕(Gratin)은 핫 디저트에 속한다.

56 향신료의 열매를 사용하는 것이 아닌 것은?

① 스타아니스   ② 바닐라

③ 홀스래디쉬   ④ 파프리카

57 채소나 치즈 등을 원하는 형태로 가는 도구는?

① 롤 커터(Roll cutter)   ② 그레이터(Grater)

③ 시노와(Chinois)   ④ 믹싱 볼(Mixing bowl)

[해설] ① 롤 커터(Roll cutter) – 피자 등을 자를 때 사용
     ③ 시노와(Chinois) – 스톡이나 소스를 고운 형태로 거를 때 사용하는 도구
     ④ 믹싱 볼(Mixing bowl) – 재료를 담거나 섞을 때 사용

58 전채요리의 요건이 아닌 것은?

① 맛과 짠맛이 침샘을 자극해서 식욕을 돋우어야 한다.

② 크기를 작게 하고 모양과 색에서 아이디어와 예술적 감각이 돋보여야 한다.

③ 세계적으로 유명한 식재료를 사용해야 한다.

④ 조리법이 겹치지 않게 다양한 조리법으로 만들어야 한다.

[해설] 지역의 특성과 계절에 맞는 다양한 식재료를 사용해야 한다.

59 완성된 음식을 돋보이기 위해 곁들이는 것을 무엇이라 하는가?

① 콩피   ② 포토퓌

③ 부케가르니   ④ 가니쉬

[해설] ① 콩피 – 고기를 기름에 재워 낮은 온도에서 오랫동안 익히는 방법
     ② 포토퓌 – 고기와 야채를 냄비에 넣고 은근하게 삶는 요리
     ③ 부케가르니 – 향신료다발

60 다음 중 조리법이 다른 것은?

① 비프 커틀렛   ② 스콘

③ 안심 스테이크   ④ 비프 스튜

[해설] 비프 커틀렛, 스콘, 안심 스테이크는 건열 조리법

3일완성
양식조리기능사
필기시험 총정리문제

발 행 일 2021년 2월 5일 초판 1쇄 인쇄
2021년 2월 10일 초판 1쇄 발행

저   자 박 순

발 행 처 크라운출판사
http://www.crownbook.com

발 행 인 이상원

신고번호 제 300-2007-143호

주   소 서울시 종로구 율곡로13길 21

공 급 처 02) 765-4787, 1566-5937, 080) 850-5937

전   화 02) 745-0311~3

팩   스 02) 743-2688, (02) 741-3231

홈페이지 www.crownbook.co.kr

I S B N 978-89-406-4384-6 / 13590

특별판매정가 12,000원

이 도서의 문의를 편집부(02-6430-7029)로 연락주시면
친절하게 응답해 드립니다.